# Los inocentes

# Oswaldo Reynoso

# Los inocentes

Primera edición: enero de 2019



Printed in Spain – Impreso en España

ISBN: 978-84-204-3803-0
Depósito legal: B-383-2019

Impreso en BookPrint Digital, S. A., Hospitalet de Llobregat (Barcelona)

AL38030

Penguin
Random House
Grupo Editorial

*A Carlos Gallardo*

*Yo tenía dieciséis años...*
*en el corazón, pero no tenía*
*ni un solo lugar donde colocar*
*el sentimiento de mi inocencia.*

JEAN GENET

# Índice

# Prólogo

## Alberto Fuguet
**El arte de no estar adentro**

Existe una suerte de canon literario alternativo compuesto por ciertos libros y ciertos autores que trascienden y superan los rótulos con que algunos (la internacional conservadora, los guardianes del orden) intentaron barrer esos textos incómodos o demasiado ajenos a lo que se considera correcto. Fueron omitidos, ninguneados. Quedaron con el mote o —mejor aún— con el estigma de ser algo B, alternativo, periférico, lumpen, acaso *indie*. Insinuar que un libro es *literatura urbana* siempre ha sido una forma elegante de masacrar un texto, tal como tildarlo de joven o, lo que es acaso peor, de juvenil (¿literatura urbana juvenil?). Así las cosas, al rato, o al toque, un texto puede quedar como *de culto* o *freak* y su autor como un maldito. Pero este tipo de operación de exterminio casi nunca resulta cuando lo que está detrás es una mezcla de miedo, fascinación, morbo y deseo. El polvo de la trifulca se aquieta, pasa un buen tiempo (varias generaciones quizás) y eventualmente los lectores y editores y críticos y narradores aparecen para abrazar esos textos, hacerlos suyos y protegerlos hasta que el momento sea el adecuado.

Quizás ha llegado ese momento para *Los inocentes* y para Oswaldo Reynoso.

Digo: ha sucedido. Llegó. Este es el momento.

*This is the time. The time is now.*

En buena hora.

Algunos dirán que es tarde, que Reynoso ya no está para disfrutar de este alargue. Yo pienso: nunca es tarde y; dos, igual lo está disfrutando y mucho. A su manera:

póstumo, como quiso, sin tener que participar del todo. Reynoso fue un automarginado que no se sentía cómodo en fiestas ajenas, pero entendía lo que él provocaba y cómo cautivaban sus textos. Le tenía pánico al mercado, al éxito, al *marketing* y creía en la gestión propia. «No deseo contribuir a las arcas de los editores alemanes y americanos que ahora son dueños de todo», me dijo cuando le propuse intentar editar al menos *Los inocentes* en una editorial «transnacional» para que, en efecto, pudiera llegar a varias naciones. «Es una idea bonita, pero mis convicciones no lo permiten», me dijo, testarudo argumentando que debía respetar su profundo comunismo. Pero pensando así, don Oswaldo, perderá posibles y ávidos lectores chilenos, argentinos, colombianos», le insistí. «No siempre se puede tenerlo todo, muchacho».

Reynoso tenía claro que *Los inocentes* fue más que su debut: fue algo como un terremoto literario que no destrozó edificios ni arrasó con puentes, pero que sí removió pisos y alteró hormonas porque, desde el principio, su propuesta fue considerada radical, colérica, rockera, homoerótica, grosera y poco literaria. ¿Hay algo más literario que aquello que es considerado no-literario? Reynoso es una figura clave en la literatura peruana. Esto no se cuestiona y no lo cuestiono. Me hubiera gustado leerlo antes de lo que lo leí. A veces pienso que lo leí en otra vida o que lo leyó mi madre cuando estaba en gestación porque me siento muy ligado a *Los inocentes* y siento que, de alguna manera, me marcó; pero luego capto que este libro es de ese tipo de libros que seduce a todo hombre porque explora de manera profunda los temores y ritos y contradicciones de ser un proyecto-de-hombre, de ser un adolescente masculino en un territorio machista. *Los inocentes* es ese tipo de libro que se puede leer a cualquier edad y en cualquier época, pero funciona con veinte veces más potencia cuando se lee a la misma edad de los protagonistas: quince, dieciséis, diecisiete años. Leer *Los inocentes* bien puede ser un hito en una adolescencia masculina latinoamericana.

*Los inocentes*, es cierto, no ha llegado a todos, pero sí a los suficientes como para seguir vivo y que ahora pueda, por fin, llegar a muchos, a todos. Es un libro que ha circulado por décadas de mano en mano, de bolsillo en bolsillo. Esta reedición y esta apuesta de Alfaguara lo coloca en un puesto al que Reynoso temía: en el mercado, en todas partes. Lo hace accesible, le da apoyo, le permite ser más que una anomalía o un autor de jóvenes o el secreto mejor guardado de la narrativa peruana. Le da una seria posibilidad de llegar a más y nuevos lectores. No es que antes no los tuviera o que su presencia no se sintiera en Perú. No. Fue un ídolo subterráneo, local, acotado. Ahora, ya muerto, pero más vivo que nunca, sus libros podrán empezar a viajar y a llegar a librerías de todo el continente. En efecto: la hora ha arribado para que todos podamos perder la inocencia y subrayar o prestar o releer este librito delgado, pero inmenso que cuesta creer que no tenga el *status* continental que se merece. En una era cuando tanto volumen indigno te lo bombardean detrás de esa cortina de humo de los premios inflados o cada libro aparece plagado de esas críticas inducidas por el *lobby*, *Los inocentes* nos recuerda que a veces la prosa y unos personajes entrañables y un sentido de mundo y de pertenencia (y escribir desde adentro y desde las entrañas) aún son los ingredientes que importan, y no cuan cercano estás de la mafia o de las vacas sagradas. Reynoso pertenecía a otra mafia, es cierto. No seamos tan inocentes: la mafia o la pandilla o la *collera* de los fans y de los que se excitan más de la cuenta con un libro iniciático e inimitable como este (aunque vaya que lo imitan). Una mafia (quizás rosa, quizás gris, de discípulos, de jóvenes abandonados) que rodeaba y sigue rodeando a Oswaldo.

Hace rato que comenzó el trabajo de enmendar el error por el cual sabemos tan poco de él y tanto de otros que, a lo más, son aficionados o escribidores. Reynoso, para citar ese álbum emblemático de Faith No More, es *the real thing*. El autor no académico que viene del sitio incorrecto y que pasaba más en los bares del centro de Lima que en las aulas de las universidades americanas. El lugar donde Reynoso se sentía cómodo era a un lado. Le gustaba, intuyo, estar y no estar, ser y no ser parte de. Más fisgón, más a la sombra, un poco adentro y un poco afuera del clóset. Pero ahora está siendo tratado como corresponde: como maestro. Reynoso se sentía local y de barrio (¿Santa Cruz? ¿Jesús María? ¿Magdalena del Mar? ¿Pueblo Libre?) y dudaba que su obra pudiera trascender. Ahí se equivocaba y la reedición de este libro formidable lo prueba. Supongo que todo país que genera un Nobel es capaz también de incubar un autor incómodo que parece que no es de exportación cuando capaz sea el más universal de todos. Hay autores que merecen y deben llegar a todos porque son capaces de ser descifrados por grupos muy diversos: desde el estudiante de Letras atento hasta el empresario que vuela en *business*, desde el sicólogo progre hasta la abogada que pertenece a un club de lectura. Hay autores más torpes socialmente (más paranoicos, sin dudas) como Reynoso, quien escribió pensando (creo) en unos pocos lectores que se parecían sospechosamente a sus personajes: bellos, elásticos, nuevos, inocentes, curiosos, confundidos, con hambre. Esto le permitió construir/crear a sus fans, muchos de ellos chicos que leían poco.

Si es cierto que una de las labores más importantes de un autor es convocar a sus propios lectores, entonces Reynoso es en efecto un grande y un triunfador. Armó sin el apoyo de la prensa convencional ni de la elite internacional al sólido círculo de amigos y fans que lo han abrazado con justa razón como un padre, ese tío mayor raro, el ídolo que iluminó otro camino posible a las letras peruanas. Un amigo me lo dijo una vez: existe una secta de escritores donde no importa tanto a qué generación perteneces sino qué degeneración abrazas. Ahí se sitúa, con honores, Reynoso, y por eso está en sitios de privilegio en algunas repisas de bibliotecas privadas.

En *Los inocentes* hay una manera de pararse frente al mundo y de crear (de escribir; dejémoslo en escribir) que hace que ciertos escritores triunfen y fracasen al mismo tiempo. Son aquellos que logran conectar y espantar, seducir y repeler. El *coup de foudre*, este golpe al corazón entre autor y lector, tiende a ocurrir cuando este último es muy joven (es bastante frecuente que el autor elegido sea uno de los primeros escritores que este lector intenso lee), por lo que se puede hablar de algo semejante a una suerte de pérdida de la virginidad literaria. Un elemento clave que fascina en esta desfloración es sentir que los únicos libros que valen la pena son externos. Y en esta construcción identitaria el autor correcto o incorrecto se convierte en el único de los que viven en «esta ciudad o país de mierda» que es de fiar, que vale, que cuenta la firme, «que nos entiende» o que «escribe para mí». Sus personajes tienden a ser alter egos cercanos al mundo y al *pathos* del lector y así surge la conexión inmediata, la empatía urbana, la célebre frase «yo soy como...». Desde hace años me decían en Lima: «¿No has leído a Reynoso? ¿Pues qué esperas?». Y: «¿Qué quién es el mejor escritor joven peruano? Pues fácil, pata: Reynoso, aunque ojo, tiene casi ochenta, hueón».

No todos los escritores triunfan en vida ni menos en su tierra. Oswaldo Reynoso de alguna manera lo hizo. En tono menor, a su manera. Fue un maestro y una figura de culto, un secreto a voces. Era una alternativa, era distinto, era raro, era otro. No fue el más premiado, pero la hizo. El escritor limeño Sergio Galarza lo ha dicho bien: «en *Los Inocentes* hay una apuesta ética y estética que supera la moda: se trata de un libro que hasta el día de hoy sigue abriendo nuevos caminos para jóvenes escritores. Porque, pese a quien le pese, todos cargarán de por vida con un inocente en el pasado».

Reynoso cuidó con celo no estar adentro y disfrutó levemente habitar la margen, estar afuera, mirar desde afuera. Su universo pop-mestizo-queer urbano de chicos de piel cobriza gozosa tiene ahora miles de lectores que lo esperan ansiosos. Reynoso apostó por sí mismo y triunfó; ahora falta el empuje final: que deje de ser un secreto peruano y estalle en el continente. Reynoso está por volver y retornará a salvar a todos esos inocentes que están extraviados. En efecto, Reynoso fue el maestro que se adelantó antes de tiempo y vio las cosas que nadie vio o que los otros veían, pero nadie quiso ensuciarse y escribir de ellos por miedo a otro tipo de estigmas sociales que afectan más que los motes literarios. Estas etiquetas, en primera instancia, logran alejar a lectores temerosos o sin mucha vida interior propia; pero, por otro lado, despiertan el morbo de otros («¿A qué edad se suicidó?», «¿de verdad la crítica dijo que era un libro peligroso?», «¿se le nota en su prosa que es gay?»). Mientras muchos intentaban descifrar el Perú o América Latina, Reynoso pertenece a esa estirpe de nobles autores que están más interesados en descifrarse a sí mismos. Y en ayudar a sus lectores a mirarse, a reflejarse, a conectar dando paso a un fanatismo (*fanboys*, *fangirls*) y lealtad irrestricta por ambas partes. Más que tener lectores asiduos, lo que Reynoso logró en el Perú fue un lazo a veces inquebrantable, una suerte de hermandad de sangre, de *collera*, de *bromance* urbano mítico.

*Los inocentes* es un libro demasiado audaz y moderno y salvaje y bello y sobre todo sagaz como para aparecer en Lima (o en cualquier ciudad latinoamericana) allá por el año 1961. Fueron quinientos ejemplares con una bella portada con dibujos de chicos desnudos que insinuaba sin remilgos al mundo que se iba a ingresar... si uno se atrevía. Arguedas fue de los que apostó: «...un mundo nuevo requiere de un estilo nuevo... Reynoso es un narrador para un mundo nuevo... ha creado un estilo nuevo: la jerga popular y la alta poesía reforzándose, iluminándose...».

Luego de agotarse, el libro regresó en una edición popular, pero con otro nombre. El escritor Manuel Scorza convenció a Reynoso de que *Los inocentes* era un título muy inocente para su temática y terminó editándolo de manera masiva con una portada inspirada en las películas de James Dean bajo el título de *Lima en Rock: relatos de collera*. Reynoso no era rockero, pero ya en el libro se constata lo que significa ser rocanrolesco: contestario, rebelde, temible. *Los inocentes* es más inocente (quizás), pero es irresistible saber que algunos vieron la potencia de la mezcla de juventud más sexo más rebeldía y tildaron este libro de chicos marginales (¿en riego social?) como rockero.

¿*Los inocentes* es el primer libro rockero de Latinoamérica?

Quién sabe, pero conversa de igual a igual con autores malditos anteriores, contemporáneos y posteriores. Autores que escribieron tanto en español como en otros idiomas. Desde luego, tal como lo sugiere el propio epígrafe, Reynoso conecta con Jean Genet. Y aunque nunca leyeron *Los inocentes*, el ADN de este libro permea a la obra de Andrés Caicedo y Gustavo Escanlar y la obra queer del mexicano Luis Zapata y *El vampiro de la Colonia Roma*. *Los jefes* de Vargas Llosa es de 1959. ¿Lo habrá leído Reynoso y habrá decidido remixear las aventuras de los chicos de Miraflores por muchachos más cercanos a los que conocía de barrios más populares? El homoerotismo del cuento *Día domingo* poluye *Los inocentes* y, por otra parte, hay mucho de *Los inocentes* en esa cumbre que es *Los cachorros*. ¿Se habrán leído? Reynoso forma parte de una hermandad cósmica que conecta y ata cabos y potencia. Cuántos libros peruanos y latinoamericanos han sido influenciados por *Los inocentes* incluso cuando, no me cabe duda, los autores que tributan a Reynoso no lo habían leído. Me siento uno de ellos, por cierto. Uno cierra *Los inocentes* y piensa en S.H. Hinton y sus libros: *Tex*, *Los marginados*, *La ley de la calle*. ¿Es posible conectar *Rumble Fish* de Coppola con Reynoso? El Cara de Ángel tiene mucho de Rusty James y viceversa. Los libros de Hinton son de los 70s y Reynoso nunca llegó al inglés. ¿Hay conexión? Por cierto que sí: todos estos libros beben de la misma fuente de la marginalidad, el rock and roll, la ambigüedad y el narcisismo adolescente, las pandillas, eso del *teenager* duro-pero-sensible, el pertenecer al lado incorrecto de la ciudad.

Reynoso se adelantó, además, con el modo que usó el lenguaje. Su libro parte con una fecha, como un cable, como una carta, como un informe:

*Febrero, (un día cualquiera).*
*2 p.m.*

*Metió las manos en los bolsillos y fue más hombre que nunca.*

Listo. Ya está todo lo que necesita contar, ya nos tiene atentos, como el primer plano de una película. Reynoso fusiona una prosa dura, periodística, magra, casi de la era de Twitter, una *staccato* masculino y fuerte, con inspiraciones melodramáticas que rozan lo *kitsch* y lo *camp*: *la neblina se deshace en la boca como helado de leche.* En los cinco cuentos de *Los inocentes* (duda: ¿Reynoso es un autor de un libro o acaso este es imposible de superar haya escrito lo que haya escrito a posterioridad?) se arma un barrio, una ciudad, una sensibilidad. Estos personajes secundarios o extras son tratados por Reynoso como estrellas y son filmados (perdón, escritos) a través de una mirada claramente gay, deseosa, fascinada, que eleva a sus jóvenes protagonistas como pequeños dioses donde la meta es «tener una pinta de trasnochador dispuesto a llegar hasta las últimas consecuencias de una vida intensa». El filtro con que mira Reynoso a sus muchachos tiene algo de *Los olvidados* de Buñuel, más Pasolini y Visconti, donde ser fuerte y bello y masculino vale más que todo el dinero del mundo. Una belleza juvenil, mestiza, peruana. Reynoso escribe con deseo y te hace ingresar (penetrar, follar) esos cuerpos de una manera tal que aterra y arrecha al mismo tiempo.

Hay prácticas y formas de sobrevivir en esa Lima que Reynoso dice que está llena de príncipes guapos por ser la Ciudad de los Reyes. Pero para sobrevivir hay otros modales, ritos: «poner cara de *maldito*, de hombre *corrido*, torcer los ojos, fumar como vicioso, hablar groserías, fuerte, para que lo escuchen, caminar a lo James Dean, es decir como cansado de todo, y con las manos en los bolsillos y, de vez en cuando, toser ronco, profundo».

Ser hombre, hacerse el hombre, ser duro, ponerse duro.

La Lima de Reynoso, sobre todo el centro, es territorio de *flâneurs*, algo esencialmente queer y esencial en la literatura y las prácticas homosexuales. Deambular por calles vacías, pasar y pasear por las plazas, mirar vitrinas, fijarse en aquellos que te miran en el reflejo de las vitrinas («ojos sedientos de mi cuerpo delgado, elástico y pálido dorado»), fijarse en las marcas («la camisa roja deseada es B.V.D.»).

Reynoso retrata y se fija en el cuerpo de sus protagonistas y apuesta por una prosa carnal, lujuriosa, sin duda incómoda para muchos: «estoy sudando y me gusta el olor de mi cuerpo...». Ellos se fascinan con Lima y sus bares y cines y tiendas y consigo mismos; con las chicas también, y sin darse del todo cuenta, con los chicos: aquellos que deben seducir y doblegar y con quien deben compararse: «los cuerpos parecen que tienen miel y las camisas se pegan, tibias. El olor agrio y ardiente de las axilas se mezcla, violentamente, con el vaho húmedo y suave del césped. ...ansioso, mete la cara por los sobacos de su rival y aspira con deleite (le gusta el olor de mi cuerpo, piensa Cara de Ángel)».

Esta reedición de *Los inocentes* le permite al libro lo que su autor no quiso o no se atrevió: llegar a muchos, ser en extremo popular y admirado, salir del cerco de Lima y conectar con aquellos que podrían venerarlo y gozarlo por donde se hable español. Dejar de ser local para asumir lo que es: universal. El mayor gesto rockero-literario de este punk-gay-comunista, una suerte de abuelo proletario y de barrio, con su altura inmensa, su piel cobriza y su pelo blanco, fue esperar más de cincuenta años antes de pensar en la posibilidad de ser masivo o *mainstream* o de publicar de manera más formal, y que sus libros pudieran estar por todas partes y más cerca de los inocentes, de los extraviados y confundidos, de todos los que lo necesiten o podrían quedar sorprendidos al leerlo.

Me entusiasma y alegra la idea que este clásico limeño llegue a lectores nuevos, incautos, ajenos, que —de seguro— no sabían de la existencia de este libro tan infalible como intenso, irresistible e imprescindible. A veces así sucede con la historia secreta de los libros y, por sobre todo, con libros como estos que, con cierto cálculo creo, el propio autor se preocupó de que fuera de culto (sí, es *de culto*, igual van a colocar eso en las notas de prensa, en la contracubierta). Oswaldo Reynoso no tenía nada de inocente y sabía lo que deseaba. Desvirgar a los lectores, hacerlos ver lo que no han visto, hacerlos sentir emociones intensas, electrificarlos con la sorpresa del reconocimiento. Y quería algo más: deseaba que siguieran leyendo. Obvio que lo logró.

# Cara de Ángel

# I

Febrero, (un día cualquiera).
2 p.m.

Metió las manos en los bolsillos y fue más hombre que nunca.

«El semáforo es caramelo de menta: exquisitamenta. Ahora, rojo: bola de billar suspendida en el aire».

El sol, violento y salvaje, se derrama, sobre el asfalto, en lluvia dorada de polvo.

«Así me gusta: bajo el sol, triste, y con las manos en los bolsillos. (Solo los viciosos tienen esa costumbre). ¡Al diablo con la vieja! Con las manos en los bolsillos. Porque quiero. Porque me da la gana».

Entró por Moquegua al Jirón de la Unión.

«Esa camisa roja que está en la vitrina es bonita, pero cara. Es marca B. V. D. Todas las vitrinas deberían tener espejos. A la gente le gusta mirarse en las vitrinas. A mí, también. El color rojo de la camisa haría resaltar la palidez de mi rostro. Estoy ojeroso: mejor. Tengo el cabello crecido: mucho mejor. Cara de Ángel: sí. Nunca: María Bonita. Ni mucho menos: María Félix. Que no se les vuelva a ocurrir llamarme así, porque les saco la mierda. No tengo cara de muchachita. Mi cara es de hombre. En mi rostro ya se vislumbra una pelusilla un poco dorada que, de aquí a tres meses, será barba tupida y, entonces, usaré gillete. Si los muchachos del billar supieran lo que hice con Gilda, la hermana de Corsario, nunca volverían a llamarme María Bonita. Se prendió de mi cuello mordiéndome la boca. Por broma dije: Mi boca no es manzana dulce. Entonces la mocosa refregó, violentamente, su cuerpo contra el mío. No quiso que le agarrara las piernas. Tan solo pude estrujarle los senos. Su ropa interior era de nailon: resbaladiza, tibia, sucia, arrecha. Recuerdo que era roja como la camisa de la vitrina. (Rojo es color de serrano, dice Manos Voladoras, el afeminado de la peluquería, entornando los ojos). Con esa camisa mi rostro estaría más pálido. Me compraría un pantalón negro. Me compraría gafas oscuras. Tendría pinta de trasnochador "dispuesto a llegar hasta las últimas consecuencias de una vida intensa", como dice Choro Plantado, el borracho de mi cuadra. Y mis diecisiete años, a lo mejor, se transforman en veinte. Ahoritititita, le saco la mierda a ese viejo que simula ver la vitrina cuando en realidad me come con los ojos. Está mira que te mira que te mira. Pensará: camisa roja y pichón en cama. Simulo no verlo. Su mirada quema. Seguramente estoy sonrojado. Eso le gusta: inocencia y pecado. Está nervioso. No se atreve a dirigirme la palabra. Clavo mis ojos en los suyos, como jugando, para avergonzarlo. Desvía la mirada. Miro la camisa. Él me mira. Lo miro. Y, él, mira la camisa. Mejor hay que sonreír. Si me voy, él me sigue. Si me quedo, él me habla. ¡Esto es un lío! ¡Un lío! Hace días uno de esos me siguió más de veinte cuadras. No decía nada. Iba detrás de mí: incansable, silencioso, avergonzado. Entré a mi casa. Comí. Salí al cine, con la vieja. Y él, triste, se perdió al llegar a una esquina. ¡Pobrecitos! Parecen perros hambrientos, apaleados, corridos. Pero, ¡qué caray!, uno no puede ser carne de ellos. Por fin se acerca. Habla. Contesto: Sí. Sí, me gusta la camisa... Pero, no lo conozco... ¿Qué? ¿Que quiere ser mi amigo? ¿Para qué?... ¿Por gusto?, ¿simpatía? No, no lo creo... ¡Ah ya! ¿Obsequiarme la camisa? ¿A cambio de qué?... Ya las paro. ¿A su casa? No, no señor, no, disculpe. Si desea le presento a un amigo... ¿Conmigo? No... ¿A la playa? No, me hace daño el agua salada... ¿A los ojos? No, al estómago... ¿Al cine? Tampoco. La oscuridad me ahoga. (Con Yoni, sí. Yoni, compañero de clase: loquita: buenas piernas en la oscuridad con chocolate, con fruna. Las piernas de Gilda son mejores. Uno de estos días se las toco). Pierde su tiempo conmigo. Ahí nos vemos».

Sacó las manos de los bolsillos. Bajó la cabeza. Dio una patada en el aire. Levantó un brazo más arriba de la nuca. Se mordió las uñas. Esbelta y triste quedó su imagen, en relieve, contra el sol. Las tiendas del Jirón de la Unión permanecían cerradas. Poquísimas personas transitaban por el centro de la ciudad. El viento, opaco y caluroso, levantaba hojas de periódicos amarillentas y sucias. La tarde —lenta, sudorosa, repleta de sonidos sordos y lejanos— se levanta niña. La ciudad soportaba el peso, salvaje y violento, del sol.

«Es una vaina venir por estas calles. Uno siempre se ha de encontrar con locas. Que lo miran. Que lo siguen. Que le hablan. Que le ofrecen hasta el cielo. Y, ¿por qué siempre tienen que mirarme? Mi cara tiene la culpa. Sí: Cara de Ángel. Cuando gano plata en el billar mi vieja cree que ya estoy con uno de esos y, sin averiguar nada, me pega. Hoy me ha pegado. No me quiere. Para ella debo ser ensarte, triple ensarte».

Metió las manos en los bolsillos y quedó más hombre que nunca.

Elástico y calmo, avanza por el Jirón de la Unión.

«Siempre he sido un tonto. Siempre he querido ser hombre. Pero siempre he fracasado. Tengo miedo de ser cobarde. A los soldados —no sé dónde lo he leído—, antes de la batalla les dan pisco con pólvora para que sean valientes. En lugar de pólvora, que no puedo conseguir, como fósforos y sigo siendo cobarde, sin embargo. Si uno quiere tener amigos y gilas hay que ser valiente, pendejo. Hay que saber fumar, chupar, jugar, robar, faltar al colegio, sacar plata a maricones y acostarse con putas. He intentado todo, pero siempre me quedo en la mitad, ¿será porque soy cobarde? Mi vieja, también, tiene la culpa. Me trata como si aún continuara siendo niño de teta. Y lo peor del caso es que me trata así delante de los muchachos de la Quinta y me expone a burlas. Siempre tengo que trompearme para demostrarles que soy hombre. El otro día, a las cinco de la tarde, me envió a comprar pan. No quise ir: la collera estaba en la esquina. (Colorete gritaba enfurecido). Protesté, pero al final, como siempre, se impuso la vieja. Saqué la bici y, pedaleando a todo full, pasé por la esquina. Me vieron. Compré el pan. Al volver los vi en la puerta de mi quinta. Cuando quise entrar, Colorete cogió la bici. Con sonrisa maligna dijo: "Zafa, zafa, no te metas con hombres. Aquí nadies es niñito de casa. Carambola, di: ¿alguna vez has ido a la panadería por mandado de tu vieja? No. Ves. Aquí solo hay hombres. ¡Hasta cuándo no te desahuevas!". Quise pegarle, pero sin darme cuenta dije: "¿Acaso he comprado pan para mi casa? Es para mí. Me gusta comer pan. En las mañanas mi vieja compra para todo el día". Colorete, poniéndose serio, repuso: "A nosotros también no gusta comer pan". Y sin darme tiempo, tomó la bolsa y repartió el pan. Comimos, en silencio, sin mirarnos, como si estuviéramos cumpliendo una tarea penosa, colegial, aritmética. Uno a uno los muchachos se fueron. Al final, solo quedó Colorete. Me asustó su mirada. Ya no había cólera ni burla en sus ojos: había ternura, extraña, terrible. Cuando se dio cuenta que lo miraba, se avergonzó. Quise darle la mano y decirle: "Te comprendo". Pero qué difícil es sincerarse sin cebada. Sé que esa tarde Colorete quiso decirme algo; sin embargo, calló: tuvo miedo. Sin decir nada se fue. Esa noche no pude dormir. Resonaban las palabras de la vieja, pobre vieja, pobre: "Ya no sé qué hacer contigo. Toda la plata que te doy te la juegas. Eres un mal hijo. ¿Dónde está el pan? Me vas a matar a colerones". Esa noche hubiera sido bueno llorar».

Olor de gasolina en el viento sofocante.

«En estas vitrinas hay relojes, chocolates, esclavas, pantalones americanos, camisas, tabas, ropas de baño. Si uno tuviera plata... Y es bien fácil conseguir dinero. Lo único malo es que la vieja lo averigua todo. "¿De dónde sacaste esa camisa? ¿Quién te la dio?". Y la cantaleta no termina. Hace poco no más, los muchachos del billar, la collera del barrio, planearon el robo de una moto. El trabajito salió como el ajo. El dinero que se consiguió tuvo que gastarse en cine, en carreras, en cebada, en cigarrillos finos. No se puede comprar ropa, para no meterse en pleitos con la vieja. El único que hace lo que le da la gana es Colorete. Grita y se impone y, si el viejo protesta, le saca en cara su negocio, su cantar: el viejo, su viejo, es cabrón. Por eso Colorete no solo roba, sino hasta se vive, públicamente, con un maricón, que dicen que es doctor».

Llega a la Plaza San Martín. El sol opaco y terrible cae sobre los jardines. Obreros, vagos, soldados y marineros duermen en el pasto: sueño sudoroso, biológico, pesado.

«Cómo quisiera estar en la playa: arena; gilas en ropa de baño; carpas de colores, como los circos; espuma; música; olor a mariscos; ojos sedientos de mi cuerpo delgado, elástico y pálido dorado. ¿Y si la Plaza se transformara en playa...? Siento, en no sé dónde, una pereza blanda, como si fuera algodón. Ahora, sube por la garganta y no puedo contener un bostezo delicioso, esperado, que me hace lagrimear. Tengo sueño. Me parezco al gato de la señora vecina cuando se echa, patas arriba, hambriento de gata, bajo el sol».

Medio día. Plaza San Martín: bocinas, pitos, ultimoras, tranvías bulliciosos. El cielo, pesado y ardiente, sofoca. La sangre arde. Cara de Ángel: tendido en el pasto.

«Y si la plaza fuera un cementerio: cementerio ardiente, sin flores, con muertos enterrados, verticalmente. Entonces, vendría el viento marino del Callao y dejaría a ras del suelo cráneos podridos; y los muertos en invierno se juntarían, para no sentir frío; y en verano se echarían en el pasto, para que el sol los caliente; y los autos tendrían miedo de atropellarlos; y el patrullero, de vez en cuando, les traería comida y emoliente; y en las noches brillarían con los avisos luminosos: mar con botes de colores... Y si los muertos fueran los manifestantes de ayer; hubiera sido formidable que anoche, el Jefe del Partido, encabezando el suicidio colectivo, se hubiera lanzado del balcón, una vez terminado su discurso, y todos, todos, hasta los policías se hubieran muerto y anoche un señor dijo que el Jefe hablaba para la juventud y no entendí nada y a mi papá lo tomaron preso por meterse en política y mi mamá siempre dice que era bueno y que la política lo mató y yo no sé nada de política no me interesa tampoco y quisiera cagar en el palacio del Presidente por gusto por joder y el profesor de Historia con la lata de la higuera de Pizarro y que los almagristas lo mataron y que me daba sueño y que me hacía mojar la cabeza y es peligroso dormir con la cara al sol uno quiere despertarse y no puede como si se estuviera muerto y se quisiera resucitar estoy sudando y me gusta el olor de mi cuerpo el olor de las muchachas de mi barrio me arrecha sobre todo en verano tienen olor a pescado a fierro en invierno no se lavan y apestan rico las manos de Gilda olían a marisco a mar las piernas de Gilda buenas buenas buenas esta noche voy a México y no tendré miedo y el viejo si insiste un poco más casi me lleva da asco con viejo pero la camisa roja bonita Colorete es cochino con Yoni tal vez quince días que no me lo toco y parece que revienta con el sol las bolas hacen carambola jardinera dados gigantes que chocan contra el mar siempre siete siete cuando se pide los senos de Gilda con leche tibia y dulce playa mar ruido olas música azul con verde miel helada en la lengua agridulce retumba en ola en roca el mar roca en agua y ola tumbo en tumbo roca amor en roca Gilda en roca cara sol Yoni mar en cine fruna en mar roca roca en tumbo cara roca mar mar marmarmarmarmar amar amar amaaaaar».

## II

4 p.m. del mismo día.

—Que no se escape.

La collera del barrio, bulliciosa, en tropel (manada de cervatillos montaraces), llega al Paseo de la República.

—Cruza, cruza, rápido.

Colorete sujeta el brazo de Cara de Ángel que es llevado a la fuerza.

—Cuidado viene un auto. (Se agitan como patos).

Atraviesan la calle y se dirigen a la parte más tupida y oculta del Parque de la Reserva. (Pantalones negros, azules, celestes; camisas rojas, negras, amarillas se estremecen delirantes entre ramas verdes).

—Sácale la mierda.

El cielo estaba nublado, sucio, triste. El calor es más intenso. Todos están ahí: Corsario, Natkinkón, el Príncipe, Colorete (el capazote de la collera), el Chino, el Rosquita, Cara de Ángel, Carambola.

—Quítale la plata.

Los cuerpos parecen que tuvieran miel y las camisas se pegan, tibias. El olor agrio y ardiente de las axilas se mezcla, violentamente, con el vaho húmedo y suave del césped. Hay furia. Ganas de cagarse en la mitra del Papa. Cara de Ángel, pálido, no puede hablar: tartamudea. Sabe que Colorete le lleva bronca.

—¡Desahuévalo! (Grita Carambola).

Lejos: autos y tranvías pasan veloces. Cara de Ángel quiere correr, abrazar a su mamá y pedirle perdón por todos los colerones.

—Ya maricón, ¡defiéndete! (Emplaza Colorete).

Están frente a frente, midiéndose. (Gallitos feroces). Los demás hacen ruedo. (Gallinas atolondradas).

—Éntrale, éntrale sin miedo, María Bonita.

Todos ríen. Cara de Ángel sabe que su rival es cobarde y traidor, que sabe dar buenas chalacas, que tiene una zurda fuerte y mañosa, que sabe defenderse la cara y otras cosas y que, además, cuando se ve perdido, «acaricia con la uña» que siempre carga en el bolsillo.

Hay cólera y odio animales en los ojos grandes y biliosos de Colorete. Transpira, cierra y abre los puños, desesperado. Escupe a un lado y a otro, nerviosamente. Cara de Ángel sigue pálido, con las manos en los bolsillos, esperando el ataque. Trata de explicarse el porqué de la bronca que le lleva Colorete. Busca en el recuerdo algún incidente ofensivo; pero lo único que recuerda es que siempre fue bueno con Colorete. O a lo mejor, así como existe simpatía natural, espontánea, existe también odio instintivo, natural, espontáneo. De pronto, algo se quiebra, se desmorona, en su interior y se duele por él, por sus amigos, por su mamá. En el pecho siente un charco helado que lo hiere. Cómo quisiera que, de un momento a otro, Colorete le diera la mano, que los muchachos dijeran: «No te asustes, Cara de Ángel, todo esto es un juego: te queremos».

—¡Desahuévate, María Bonita! ¡Éntrale!

Colorete se avienta furioso, lo toma por la cintura y caen al pasto. Ágil, con las piernas, le hace tenaza en el cuello. El rostro de Cara de Ángel se enrojece y las piernas de Colorete ajustan, nerviosas. Sorpresivamente, Cara de Ángel le toma el brazo y se lo tuerce por la espalda; libera el cuello y aprovecha para montarse sobre su rival. Colorete se encabrita y logra incorporarse botando al suelo a su enemigo.

—Espérate, espérate, María Bonita, me voy a quitar la camisa.

Los contendores se quitan la camisa. Colorete, orgulloso, exhibe su pecho moreno y musculoso; Cara de Ángel, pálido y delgado, se avergüenza. Nuevamente, se trenzan. Ahora, Cara de Ángel está echado boca abajo y Colorete está jinete sobre él, torciéndole el cuello. Luego deja el cuello y con los brazos le rodea el pecho ajustando fuerte, al mismo tiempo, que, ansioso, mete la cara por los sobacos de su rival y aspira con deleite. (Le gusta el olor de mi cuerpo, piensa Cara de Ángel). Voltea el rostro y lo mira. Los ojos de Colorete ya no tienen furia, tienen un brillo extraño que asusta. Es el mismo brillo y la misma ansiedad que vio en los ojos de Gilda la noche que casi le toca las piernas. Cara de Ángel siente miedo desconocido y oscuro. Hay un vacío vertiginoso en el estómago, como si se estuviera en el último piso del Ministerio de Educación y el asfalto negro de la calle atrajera, irresistiblemente. Desesperadas las manos se prenden al pasto y grita.

—¡Estás armado, mostacero de mierda! ¡Déjame!

Cara de Ángel se incorpora furioso. Los muchachos ríen y hacen cargamontón. Colorete sale sudoroso y ordena que le quiten, a Cara de Ángel, el dinero que les ganó en el craps. Lo aprisionan y le hurgan los bolsillos, pero no encuentran plata. (Cuando fue el baño escondió entre las medias tres libras).

—No hay nada.

—Debe habérselas guardado en los zapatos.

Cara de Ángel lucha desesperado, no por el dinero, sino porque tiene los pies sucios, las medias están que apestan y le da vergüenza, y en pleno verano cuando todos se bañan y andan limpios. Le preocupa la opinión de Colorete. Piensa: ahora, él, me odiará más, sabrá que soy sucio, que no me gusta lavarme los pies. Por fin, lo dominan y le sacan los zapatos, luego las medias y aparecen tres libras húmedas y hediondas. El Rosquita las lava en la pila. Cara de Ángel ha quedado tendido en el suelo, escondiendo los pies. Colorete lo mira con disimulada ternura y expresivo asco.

—Cochino, sucio, sucio. Te creía limpio. Pero me gustas más así: sucio. Un día de estos te agarro, de verdad.

—Esta noche hay cebada. (Grita el Rosquita).

—Oye tú. Hasta ahora nadie me ha dicho mostacero. Tú acabas de decirlo y eso no lo perdono. Saca los dados. Vas a ver quién es Colorete. Vas a jugar conmigo, conmigo, y quien pierde se la corre, aquí mismo.

Cara de Ángel tiene que aceptar el desafío, de lo contrario, hablarán mal de él.

—Tira, tú primero. Número mayor gana. (Dice Colorete).

Cara de Ángel toma los dados, les echa un poco de saliva y los mueve como si estuviera celebrando culto a una deidad misteriosa, sangrienta. Los deja caer suave; ruedan: marcan diez.

—¡Qué lechero! (Grita Natkinkón).

Colorete recoge los dados. Escupe a uno y otro lado. Cierra los ojos y tira los cubiletes: marcan once.

—Córretela. (Ordena Colorete).

Cara de Ángel se tiende en el suelo de costado; quiere llorar. Piensa que ya no podrá ir a México; quince días que se ha contenido: ¡para esto!

—Si quieres, mira esta foto. (Dice Corsario).

Del bolsillo trasero del pantalón saca una foto y se la enseña. Se pelean por verla. Cara de Ángel ve una mujer desnuda que está agarrándose los senos. Cierra los ojos y piensa en Gilda.

—Ya, de una vez, o te agarramos entre todos. (Grita furioso, Colorete).

Todos se quedan en silencio. Solo se escucha, a lo lejos, el ruido de autos y tranvías y, de vez en cuando, pitos; cerca: el respirar agitado de los muchachos. Cara de Ángel siente una profundidad dulce y una humedad turbulenta en la boca. Un olor picante a madera, a manzana, lo transporta a los brazos de Gilda. Corsario le mira el rostro arrebatado. El Chino, como hipnotizado, no deja de mirarlo. Carambola, asustado, piensa en Alicia cuando baila; el Príncipe, también piensa en Alicia y recuerda a Dora. Natkinkón, en cuclillas, sonriente, se come las uñas. El Rosquita, gracioso y palomilla, da vueltas y no puede contener la risa pícara. Colorete, solo, distante, con las manos en los bolsillos, sin camisa, con la espalda llena de pasto y sudor respira agitado sin dejar de ver a Cara de Ángel. La tarde se ha detenido. Colorete piensa que está solo, absolutamente solo en el mundo y siente un dolor terrible en los testículos. De pronto, gritan y aplauden; se empujan, unos a otros; miran el cuerpo de Cara de Ángel y se van a la carrera. El Rosquita, por delante, sale del Parque de la Reserva, enseñando las tres libras. Cara de Ángel queda solo echado en el pasto. Los árboles recortan en pedazos el cielo nublado, caluroso, sucio, sucio, sucio.

# El Príncipe

# I

6 de agosto. (Vacaciones de medio año).

Con púdica delicadeza de niña, Manos Voladoras guardó el dinero y, en una cargada atmósfera de miel de colonia, invitó:

—El que sigue, por favor.

Don Lucho, el dueño del billar «La Estrella», quitándose el saco, avanzó al gran sillón, a través de reflejos azulinos.

—Corte alemán, como siempre.

Manos Voladoras con mirada provocativa y gesto resentido, contestó:

—Ya lo sé, don Lucho. Conozco el gusto de mis clientes.

Corsario levantó la cara por encima del chiste que estaba leyendo y con ojitos pícaros rio. Los que esperaban turno sonrieron, deshonestos:

—¡Jesús con estos muchachos! Para ellos todo, todo, todo tiene doble sentido.

Diligente como dueña de casa desplegó un paño blanco, blanco. Limpió acomedido máquinas y tijeras. Abrió un frasco de perfume y aspiró, goloso, y, con disimulo coquetón, se miró en el espejo. Don Lucho, entre tanto, prendió un Inca. La claridad violeta de la peluquería se enturbió con el humo denso de tabaco negro. Fuera, a pesar de ser casi las cinco de la tarde, hacía oscuro: los días seguían nublados, irremediablemente. Después de muchos arreglos y aderezos de cirujano, Manos Voladoras se dispuso a trabajar.

—¡Ay, don Lucho!, yo nunca me equivoco. Siempre dije que el Príncipe era el más roc de los muchachos del barrio.

—¿Roc? —preguntó extrañado don Lucho.

—Rocanrolero, pues, don Lucho.

Corsario, desafiante y curioso, emplazó.

—Chismoso, qué hablas del Príncipe.

Manos Voladoras dejó tranquila la cabeza del dueño de «La Estrella» y dirigiéndose a Corsario, en tono de falsete, dijo:

—Que si no fueras ignorantón y leyeras los comercios de la tarde no me preguntarías. (Volvió a la cabeza de don Lucho). Es un fastidio trabajar en este barrio. Aquí, nadies, nadies, nadies lee. Cuando trabajaba con Mario en San Isidro y...

—Déjate de esas historias, me las sé de memoria.

El amo de «La Estrella» interrumpió colérico. Entonces, Manos Voladoras, rápido y femenino, tomó de la mesa del centro un periódico y se lo mostró:

—Entérese, don Lucho.

—¡Qué desgracia para mi compadre!

Los conocidos del barrio salieron curiosos de su casi sueño dulce color naranja y miraron fijamente a don Lucho.

—¡Qué desgracia para mi compadre!

Corsario dejó el chiste y ansioso se acercó al gran sillón. Manos Voladoras lo espantó. (De seguro pensó: donde hay miel hay moscas).

—El Príncipe es el más roc de todos ustedes. (Corsario, dando vuelta al gran sillón, huía asustado de Manos Voladoras que, delicado, lo perseguía queriéndole meter la tijera en plena cara). Tengo muy bien entendido, para que lo sepas y lo pregones, que ser roc no solo es usar bluyins y camisa roja: eso, es cáscara. Ser roc significa... bueno, por ejemplo, hacer lo que ha hecho el Príncipe.

—Pero Colorete lo gana —Repuso, pico a pico, Corsario.

—¿Colorete? ¡Ay, ay, ayayayayay! No me hagas reír. Colorete es un antipático y un vividor, un-vi-vi-dor.

—Vividor, ¿no? Ahora se lo digo para que te pegue —amenazó Corsario.

—Díselo, no le tengo miedo.

El señor omnipotente de «La Estrella», con la cabeza medio rapada, gritó:

—Termina con mi cabeza y déjate de ventilar en público tus sucios enredos. ¿Habrasevistotaldescaro?

Manos Voladoras volvió a su faena. Corsario quedó pegado al espejo y no dejó de mirar *La Tercera* que todavía permanecía en manos de don Lucho.

—¡Pobre mi compadre! —seguía lamentándose el amo de «La Estrella».

—¡Pobre Príncipe, diría yo —contradijo Manos Voladoras mientras daba los últimos toques, rápidos y precisos, a la cabeza de don Lucho.

—¡Pobre mi compadre!, tener un hijo tan sinvergüenza. En lo que ha terminado ese muchacho. Eso sí, yo nunca permití que pisara mi billar. Se hace el mosquita muerta y es capaz de chuparle la sangre a su mismo padre.

—No, don Lucho, el sinvergüenza es el padre. No me diga que no; porque yo sin ser de la familia conozco las cosas de cerca, de-cer-ca.

—Más respeto. No hable de esa forma de mi compadre.

—No, don Lucho, yo no tengo pelos en la lengua. Yo siempre, siempre digo lo que pienso, lo-que-pien-so-y-na-da-más.

Corsario, venenoso y burlón, intervino:

—Estás caliente con don Jorge, porque en mi delante te prometió darte una pateadura si llevabas, otra vez, al Príncipe a tu jabe.

—Ve, don Lucho, qué mal pensada es la gente. El Príncipe ha dormido una sola vez en mi casa y ni-si-quiera-lo-he-mi-ra-do. Y durmió; porque su padre lo botó de su casa, lo-bo-tó-de-su-ca-sa.

—Mi compadre no hace esas cosas.

—Desengáñese, don Lucho, usted, más que yo, sabe que don Jorge, desde que se le fue su mujer, no puede dormir solo; le gusta pasar la noche en compañía de cualquier arrastradita. Y como su casa es estrecha y su hijo duerme en el mismo cuarto y es un estorbo para sus aventuritas, lo manda al taller y mientras mi pobre Príncipe tirita, el viejo sucio se revuelca calientito con alguna polilla cochina. No, don Lucho. Un padre, un padre de verdad, un verdadero padre no hace esas cosas y menos tratándose del Príncipe que es tan bueno, tan humilde.

Y mientras Manos Voladoras hablaba con ternura de mermelada de durazno de su pobre Príncipe, Corsario tomó el pulverizador. Palomilla, chisgueteó en los ojos de Manos Voladoras; ágil, arranchó el periódico y, escurridizo, salió a la carrera.

Llueve, llueve, llueve fino. Llueve líquido algodón. Silueta azul, sudorosa y agitada, torea autos y tranvías. Morado pálido el viento frío. Con *La Tercera* en la mano, como bandera, va saludando a conocidos y cuñados. El asfalto brilla negro y el jebe de los zapatos amarillos resbala en el cemento. La neblina se deshace en la boca como helado de leche. ¡Quién lo hubiera creído!: el Príncipe con foto y todo en *La Tercera* y mañana, seguramente, en los comercios. Olor a lluvia: transpiración densa de barro y cemento; vaho tibio de gasolina y asfalto. Colorete va a tener envidia. El corazón está lleno de azúcar congelada. Autos y tranvías se aglomeran en calles estrechas. Corre, corre apresurado, atropellando gilas, a propósito. Cara de Ángel se quedará con la boca abierta. Ambulantes con carretillas impiden el paso. Pero Corsario con *La Tercera* en alto se desliza veloz, pidiendo perdón a señoritas asustadas. Manos Voladoras estará hablando, hasta por los codos, de su pobre Príncipe. La ciudad despierta de la neblina oscura y entra bulliciosa a la noche iluminada.

Espuma y oro líquido rielan y refulgen en mesas de metal. Radiola loca siete colores, siete maracas. Cubiletes y carajos caen violentos sobre mesas llenas de cebada. Colorete baila solo frente a la radiola. Natkinkón, moreno empedernido, tamborilea en una silla. El Rosquita se abraza a Carambola y en dúo acompañan al dúo del disco «Anliyuuu...». Cara de Ángel, vicioso él por el juego, interviene gozoso en el cachito sabatino que se arma con «los de la eléctrica». De pronto, desde la puerta del café, Corsario grita:

—El Príncipe en *La Tercera* con foto y todo.

—A ver, luzmila para mi ojal —contesta gracioso El Rosquita.

—El Príncipe en *La Tercera*: ¡PENDEJO!

Extienden *La Tercera* sobre la mesa y leen en silencio.

## ROCANROLERO ASALTA Y ROBA

Anteanoche, el menor de 17 años Roberto Montenegro del Carpio (a) El Príncipe promovió mayúsculo escándalo en una casa de diversión de Prolongación México. Después de tenaz labor del Comisario y de hábiles interrogatorios llevados a cabo por sus subalternos se descubrió que el citado delincuente había robado un automóvil Ford 58 de placa particular N.º 39-562. También se descubrió que El Príncipe, días antes, había asaltado en plena vía pública a un indefenso cobrador robándole la estimable suma de diez mil soles. Extraoficialmente nos hemos informado de que el joven rocanrolero sigue estudios secundarios en una Unidad Escolar de la capital. Llamamos la atención de nuestros educadores para que, de una vez por todas, enfrenten con valentía este agudo problema de rocanrolerismo.

Ansiosos devoran la noticia y sorprendidos quedan en silencio.

—Esto hay que celebrarlo.

Cara de Ángel, que ha ganado en el cachito con «los de la eléctrica», pide cuatro pomos. Carambola pone *Ansiedad* y Corsario entusiasmado cuenta.

—Yo también he salido en los comercios, ¿recuerdan? Apenas tenía catorce años y ya estaba aburrido de mi casa: todos los días había correa. Y el espeso del Borrao, ese de Normas Educativas, me llevaba bronca, me tenía asado.

—Ese desgraciao a mí también me tomó como punto —interrumpió Colorete.

—Vendí mi bici y con esa mosca me fui al sur. En Toquepala no encontré ni agua. Los gringos son bien malditos. Entonces, lueguito me fui a Tacna. Ahí conocí a un chileno: ¡Pendejo el roto! Le caí en simpatía y me consiguió un trabajito en un bulín. Serví como mozo por más de tres semanas. Putas: como mierda. Yo era cabrito, como dicen allá, y todititititititas las noches me acostaba con una meca diferente. Me aburrí. Tacna es bien triste: poca gente, pocos carros, poquísimos cines y la gente parece gallina: antes de las nueve, todos ya están acostados. Está bien para unos días y nada más.

—Mentiroso e'mierda. ¿Cómo, si eras menor de edad, te dejaban en el bulín? Contesta; ya —preguntó desconfiado el Chino.

—Yayayayayaaa, calla, calla. Zafazafazafazafa. Eres más espeso. Deja que te cuente. Está bonito. Así fuera mentira, qué importa —protestó Natkinkón.

—Entonces me vine a Lima, ¿recuerdan? Ahí, en la esquina, tú, Colorete, di, ¿no me contaste que me habían estado buscando como agua, que me buscaban por aquí, que me buscaban por allá, que mi foto y mis señas personales salieron publicados en los comercios y que hasta por *Radio Reló* cada media hora pasaban la noticia de mi desaparición y que mi mamá y mi teclo estaban como locos?

Ahí está Carambola que hasta me enseñó los comercios. Entonces recién me entró el miedo de volver a mi casa. Pero Cara de Ángel me dijo: «Un día de cuera o todos los días de hambre, escoge». Preferí el día de cuera. Llegué asustado a mi casa. Cuando el viejo me vio se puso alegre y me abrazó. Mi viejita lloró y en la noche preparó arroz con pato.

Natkinkón no quiso quedarse atrás y bullicioso dijo:

—Este zambo también ha salido en Te Ve y todititititos han visto mi cara en la pantalla del japonés.

—Negro bruto. Por salir así te botaron a patadas del canal —dijo Corsario.

—Pero salí, ¡ah!

—¿Cómo fue, ah? —preguntó el Chino. Entonces el Rosquita contó:

—De pronto, sin que nadies se diera cuenta este negro e'mierda comenzó a tocar gemelas. Seguramente, en su familia hubo un músico: un tío, un abuelo, qué sé yo. Don Manuel, el del conjunto «Los Tropicales», lo contrató para que lo acompañara en el programa de Te Ve que tiene en el Canal 13. El día de su debut había que verlo al mono este, vestido con bombacha de colores. El pelo lo tenía, al principio planchado y brillante; pero, ¡carajo! la pasa no se esconde, compadre. Tremenda bulla que se armó en el barrio. Todos los de la quinta pidieron al japonés que pusiera Canal 13, para ver a este Natkinkón en jodas. Salieron en la pantalla «Las Candelitas», famoso dúo cubano, y, al fondo, como una mancha, en medio de más de diez músicos, estaba este negro hediondo, moviéndose como una puta. De un momento a otro, avanzó y en toda la pantalla apareció tremenda cara de mono y comenzó a saludar. Pucha, si es bruto mi cuñao. Lo sacaron a patada limpia.

—Pero mi cara salió en Te Ve y ahora las gilas se me echan.

—Te creemos, te creemos, Natkinkón en jodas.

El trago se terminaba y la guaracha de la radiola les metía fuego en la sangre. Colorete, distante y callado, pensaba en la hazaña del Príncipe. Le tenía envidia. Él nunca había salido en los periódicos. Todos tenían una historia que contar, menos él. Pero cómo le hería el recuerdo del Príncipe.

—El Príncipe es un cojudo. (Gritó Colorete, borracho). Está bien lo del asalto y el robo del For; pero es un cojudo al dejarse chapar tan suave. Lo han encontrado con el bollo. Cualquier iniciado en la materia sabe lo que hay que hacer con el producto de un robo. Ahí, ¿no le tenía al Choro Plantado? ¿Por qué no consultó con él?

—¿Qué, estás envidioso, no? —se atrevió a decir el Rosquita.

Colorete comprendió que su prestigio se deshacía como el hielo en verano: rápido, suave.

—El Choro Plantado debe estar en el billar, preguntémosle qué opina del Príncipe.

Se pusieron de pie, pagaron la cuenta y se encaminaron, derechitos, a «La Estrella».

—Ya don Lucho me habló del asunto —respondió Choro Plantado. Macizo, alto y medio achinado, movía distraídamente el taco, mientras, paciente, esperaba que su contrincante terminara la bolada.

—Ese muchachito promete. A ver, don Lucho, dos pomos, por favor. Hay que tener cojones para asaltar y robar un For, solito, sin ayuda, sin campana. ¡Qué carajo! Conozco al cobrador ese. No es tan indefenso. Es bien fuerte. (Miró con calma, como si el tiempo no corriera, la colocación de las bolas. Se inclinó a la altura de la mesa y calculó con un ojo la posible trayectoria de su bola. Calmo y paciente, echó tiza al taco y, preciso y fuerte, taqueó: carambola. Durante su volada de quince no dijo nada, luego...) ...lo único que no comprendo, como dice Colorete, por qué mierda no escondió la mosca y por qué no me habló del For, se lo hubiera desmantelado, y ni san puta lo hubiera encontrado. Bonito bollo se nos ha escapado de los dedos. (Sin apresurarse dejó el taco en la pared. Tomó una botella y sirvió, cuidadoso). Salud contigo, Cara de Ángel. (Bebió y dejó el vaso en manos de Cara de Ángel. Despacio fue al tablero y apuntó su bolada. Volvió tranquilo, siempre mirando la mesa.) ...por la forma como ha trabajado se ve que es inteligente, que tiene sangre fría; pero, ¿por qué mierda se ha dejado chapar tan suave? No lo comprendo. Quisiera hablar con él.

La collera, después de discutir el asunto hasta altas horas de la madrugada, se dispersó en la puerta de la quinta. La neblina resplandecía con la luz amarillenta de los postes y había sueño; pero la foto del Príncipe como una herida le hincaba el pecho a Colorete. La hazaña del Príncipe le quemaba, le mordía el corazón.

## II

Mañana del 5 de agosto.

Desde el fondo de un canal negro se acerca una llamita naranja. Crece, crece y todo lo invade: naranja, transparente con venas azules. Ahora, huevo oscuro con clara luminosa; corona verde brillante se aleja en violeta y se pierde y se pierde en morado intenso. Círculos y estrellas pequeñísimos nacen y mueren interminablemente. Este globo enanito, del fondo, nace rojo; se acerca grande, amarillo; gigante, verde, se aleja, se aleja; muere: puntito azul. Arena menudita cae, violentamente, en silencio, como cataratas de piedras. Finísimos alfileres hierven en los pies: hormigueo bullicioso. Cómo abrir los ojos, cómo mover los pies sin sentir las agujas que trepan como arañitas electrizadas. Frío en la espalda y en el pecho y en las manos y en los pies. Cómo abrir los ojos si una luz intensa los oprime. Y después de todo, hoy no hay colegio. Nuevamente el verde que se agita en las olas rojas y Alicia en la playa me ve y se va con Carambola. Quedo solo en medio de la calle: amanece. Lloro, lloro, inconsolablemente. Todo está perdido. Estoy solo, solo, y tengo ganas de morirme. El nublado de la mañana enceguece. En el fondo de uno mismo, más adentro del pecho, se agranda un puñal helado, ardiente. Y es imposible contener el llanto y es imposible contenerlo. La misma sala de anoche, pero sin gente. «Es peligroso que esté con los otros», dijeron y tuve que pasar el resto de la noche sentado en esta silla del Departamento de Delitos contra el Patrimonio. Serán las siete, será más tarde: lo mismo da. «Pero de todas maneras, López, mañana temprano hay que hacer ese parte», dijo el Jefe antes de irse, anoche.

Este López es bruto y flojo como mandado hacer. Ya van tres papeles arrugados en el canasto y no pasa del título del parte. Minucioso, aplicado y limpio como el chancón de la clase; pero animal. Coloca el papel: lo cuadra, revisa las copias, las endereza. Enciende un Country. Bota el humo por las narices y la boca. Se para. Busca un cenicero. Lo encuentra. Tira otra chupada. Detiene el humo en la boca. Luego, hace argollas. Las mira hasta que se deshacen en el techo. Se vuelve a sentar. Se quita el saco. Se arregla las mangas de la camisa. Mueve los dedos (para que se calienten, dice él). Mira el papel en blanco y se queda en babia. De pronto se entusiasma y arremete valiente con las teclas. Se equivoca. Rompe el papel. Y, nuevamente, se prepara.

El Príncipe lo sigue con los ojos, lo examina, atentamente, y como una muchachita ingenua está que se come la risa. Ya no recuerda que ha despertado llorando: mejor.

Por fin, el encabezamiento salió correcto, impecable, limpio, subrayado.

—Tu nombre completo.

—Roberto Montenegro del Carpio.

—... d-e-l-C-a-r-p-i-o. A ti te dicen El Príncipe, ¿no?

—Sí, señor.

—¿Por qué, ah?

—No sé, ¿ah?

(Si Lima es Ciudad de los Reyes por algo será. Robertito, tú tienes toda la facha de un príncipe. Eres un auténtico hijo de Lima. —Y, ¿cómo sabes tú, cómo es la facha de un príncipe? —le pregunté asombrado a Manos Voladoras. Entonces, él, afeminado como siempre, con ese tonito que me da risa, respondió: —No hay necesidad de ver príncipes de verdad para imaginarse cómo son. Se les conoce por lo que dicen las novelas, por lo que se ve en el cine y por un poquito de imaginación. Y, aunque vistas pobremente, disculpa la franqueza, porque no siempre el hábito hace al monje, tu estilo tan aristocrático de caminar, tu forma tan orgullosa de mirar, tu manera tan afectuosa de dar la mano y, sobre todo, el color mate pálido de tu tez y tus ojos tan grandes y tan altivos, tan negros y tan redondos denuncian, aunque no lo quieras, tu realeza, tu sangre azul. In-dis-cu-ti-ble-men-te-e-res-un-prín-ci-pe. To-do-un-prín-ci-pe. Y desde ese día se le metió en la cabeza que yo era un príncipe. Porque Lima, siendo Ciudad de los Reyes, tenía que tener un príncipe. Y me quedé con la chapa).

—¿Edad?

—Diecisiete años cumplidos, señor. Disculpe, señor; pero diecisiete se escribe la primera con ce y la segunda con ese, y no las dos con ese, señor.

—Yo sé cómo escribo. ¿En qué año estás?

—En cuarto de media, señor.

—¿Padres?

—Mi mamá murió hace tiempo. Mi papá vive todavía, señor.

—Déjate de tanto señor.

—Está bien, señ... —pícaro y palomilla, se tapó la boca.

—Diga el interrogado, ¿cómo fue que asaltó al Sr. Arce?

(Un cartapacio resbaló de las manos de un pasajero que se había quedado dormido. El ómnibus de Matute se movía escandalosamente. Recuerdo que yo estaba en el estribo, gorreando. De repente, el señor se despertó y, al no encontrar su cartapacio, armó tal bulla que el chofer tuvo que parar el vehículo. Pero al encontrarlo en el suelo se alegró y, en alta voz, dijo que ahí llevaba más de diez mil soles. Sorprendido, paré la oreja. Para colmo de mis males, el señor ese tenía que bajarse en la misma esquina en que yo tenía que apearme. Varias cuadras caminé tras él. Se encontró con amigos y entraron a una cantina. Paciente, esperé fuera por más de dos horas. Salió solo, los demás quedaron quemando. Ese tal Arce fue el culpable de todo: porque si él, en el ómnibus, no dice que tiene diez mil tacos, no se me hubiera despertado la ambicia y porque si se va derechito a su choza, sin quedarse en la cantina, no se me hubiera entrado la tentación. Pero eso no es nada, sino que se le antojó ir a casa de Gaby, la de las mecas. Ahí, la calle es bien oscura y casi no hay gente a esas horas. Lo atropellé. Y fino, le arranché el cartapacio. Corrí como loco. Llegué a la quinta. Debajo de las gradas conté el dinero. Mentiroso el viejo: apenas había cinco mil y algunos cheques por cobrar que no alcanzaban a mil quinientos tacos. La ambicia, compadre, que si yo rompo esos cheques, nadies me agarra. Y, por último, el tal Arce debe estar agradecido: que si cae en manos de maleantes, me lo cortan).

—Oye, ¿te has comido la lengua? ¿No sabes hablar?

—Pero si los tiras están para averiguar el delito. Si yo lo cuento todo, no hay gracia.

—¡Ah, carajo! ¿Dónde crees que estás? ¿Con quién crees que estás hablando, mocoso e' mierda?

El auxiliar López se puso en pie y le largó dos fuertes y sonoros sopapos. El Príncipe, sin perder su dignidad, con las mejillas sonrosadas, conteniendo las lágrimas y mordiéndose los labios, quedó en silencio, mirándolo con clase, resentido.

—Si quieres, contestas; si no, te jodes.

Dos brasas le quemaban el rostro. La boca la sintió amarga y tuvo ganas de tirarle el tintero por la cabeza. El auxiliar López, frío e indiferente, escribía: «El interrogado se niega a responder».

—Vamos con la otra pregunta. ¿Cómo es que robaste el auto?

(Al día siguiente del asalto, por la mañana, me fui al centro y en «Marqueti» me compré un pantalón negro, americano, tres casacas bien rocanroleras, dos tabas, como la gran puta, de becerro importado. Compré también cuatro cajetillas de Salem. Y en «Oesle», después de enamorar a las vendedoras, le compré para la Alicia un vestido de lana).

—¿Vas a contestar o no?

(Cuando ya regresaba a mi casa, al cruzar la avenida Tacna, vi un For. ¡Pucha si estaba bobo!: lo habían dejado con la llave en el motor y con las ventanas abiertas. Se necesitaba ser muy gil para encontrar así un For y no choreárselo. Tranquilo y sereno abrí la puerta. Me senté bien cómodo, como si fuera mío el carro. Encendí el motor y allá me fui, despacito no más, para que el tombo no se diera cuenta).

—Lo robé no más, pues, señor.

—Diga el interrogado cómo fue que aprendió a manejar automóvil.

—Mi papá, que es dueño de un taller de reparaciones, me enseñó, señor. (Ves que trabajo todo el día y ni siquiera me ayudas. Desde mañana, sin falta, te enseño a manejar carro, para que puedas ayudar en el taller).

—¿Puedo hacerle una pregunta, señor?

El auxiliar López lo miró y siguió escribiendo.

—Me puede decir ¿por qué el señor ese del carro dejó la llave y las ventanas abiertas?

López quedó silencioso y recordó: (Sí, señor, como le digo, llegué apurado al banco. Se me vencía una letra, en último día. Ya iban a cerrar la oficina, así es que salí a la carrera del auto sin darme cuenta de que había dejado las llaves. ¡Qué descuido, por Dios!).

—Diga el interrogado ¿cómo fue que pasó la tarde del robo y en qué invirtió el dinero robado?

(Al llegar al barrio me encontré con Cara de Ángel y lo invité al carro. Subió y nos fuimos al Callao. Ahí almorzamos y tomamos vino. Cara de Ángel asustado me hizo varias preguntas sobre la mosca y sobre el carro. Le dije que me había ganado plata en las carreras y que el For era del taller de mi teclo. Como a eso de las tres de la tarde regresamos. Lo dejé en el billar y le regalé más de cien tacos de verdad).

—¿Tampoco contestas a esta pregunta, no? Solito te estás jodiendo.

Mientras el auxiliar López escribía cuidadoso, el Príncipe se mordía las uñas y seguía atento el vuelo de una mosca, que por fin salió por la ventana.

—¿Qué hiciste después del robo, ah?

(Rapidito me fui a casa de Alicia. Silbé. Salió. Y estaba bien rica: ojerosa y con olor a cama sucia que arrechaba. La invité al cine. Me dijo que su mamá no la dejaba salir y que, además, tenía dolor de cabeza. Siempre lo mismo conmigo. Con Carambola es diferente. Para Carambola no hay dolor de cabeza. Para Carambola, su mamá la deja salir hasta de noche. Y ¿por qué, entonces, coquetea conmigo? Le enseñé el carro: se asustó; le di el paquete, lo abrió y, al ver el vestido, casi se desmaya. —Pero Príncipe, ¿qué has hecho? ¿De dónde has sacado carro y plata? —repetí la historia que conté a Cara de Ángel. No me quiso creer. —No me comprometas. Eres un ladrón. Déjame en paz—. Y se fue a la carrera. Si yo fuera Carambola, de seguro que habría recibido el vestido, y, más que seguro, que hubiera subido al carro. Todo se fue al agua. Y yo que pensaba llevarla al cine, invitarla a la «Crenrica» y en el anochecer ir con el auto hasta Chosica. Le hubiera besado las manos y nada más. En ese momento la odié, la quise ver muerta, muerta; pero, ahora, qué raro, la quiero. No hay caso, estoy sufrido por ella. Templado hasta la remaceta).

—¿Parece que no te das cuenta de tu situación, ¿no?

—Si usted lo dice, será así.

(Caliente me enchaté. Estuve solo en una cantina y toda la tarde puse boleros y guarachas en la radiola. Ya en el anochecer me encontré con Manos Voladoras. Afeminado, como siempre, me besó la mano. Entonces, le dije: Gracias, madán. Le hice una venia y lo mandé a la mierda. ¡Pobrecito!).

—Diga el interrogado si el asalto y el robo lo cometió solo o acompañado.

—Yo solo me basto.

—Sigues insolente, ¿no? Diga el interrogado, ¿cómo fue que llegó a la casa de diversiones de Prolongación México?

(Más bruto es este auxiliar López: llegué, pues, en coche, ¡carajo!).

—Tan mocoso y tan sabido, ¿no?

(Desde las vacaciones de fin de año, cada quince días, voy a casa de Sabina a donde Dora. Parece que Dora se enamoró de mí. Dora, pues. Esa chinita de 28 años, más o menos, que baila suavesísimo y que se pega como lapa, la conoces, ¿no? Cuando estaba en su cuarto ella misma me desvestía. Me daba vergüenza y le pedía que apagara la luz; pero Dora, caprichosa, no hacía caso y me acariciaba, tierna, todo el cuerpo. Asustado, escondía mi cara en su pecho y me abrazaba fuerte, entonces, ella, suspendía mi rostro, me besaba dulcemente los ojos y decía loca, triste y llorosa. —¡Mi muchachito, mi muchachito!—. Creo que la llegué a querer y creo que ella también me quiso; porque nunca me cobró, al contrario, me invitaba cerveza).

—Diga el interrogado cómo fue que la fémina esa lo denunció y ¿por qué?

(Apenas la vi le enseñé la plata, le obsequié el vestido y la saqué a la calle para que viera el auto. Cuando regresamos al bulín, ella, triste y decepcionada, me dijo: —Así, con plata, regalos, carro, ya no te quiero. Me gustabas como chicoquito pobre, abandonado. Andavete. No vuelvas más por aquí. La agarré fuerte y ella creyó que le iba a pegar. Gritó y, en menos de un segundo, hombres altos y morenos me rodearon. Hasta ahora no me explico en qué momento llegó el patuto. El caso es que un sargento me llevó, casi en peso, hasta el For robado y, ahí, se descubrió el pastel).

—Hemos terminado el parte y casi nada has contestado. Fíjate, has robado más de cinco mil soles y un auto y en menos de veinticuatro horas te hemos capturado con todo. No hay caso: eres un cojudo.

(Sí, soy un cojudo, pero por culpa de Alicia y de Dora. Manos Voladoras también tiene la culpa. Siempre con la misma vaina: eres un príncipe, eres un príncipe. ¿Y cómo, en la Ciudad de los Reyes, un príncipe sin auto y sin plata?: la hueva, compadre).

# Carambola

Medianoche en el billar «La Estrella»: humo y penumbra. Las bolas suenan, opacas. Se habla a media voz, como en la iglesia. Máquinas eléctricas resaltan, en la oscuridad, con luces y, en el silencio, con cascabeles finos.

—No hay caso, este Choro Plantado es un trome con el taco. Y es bien gallada. Cómo quisiera ser como él, comenta Carambola con un compañero de clase que por primera vez pisa el billar.

—Caramba, ¿si tú me enseñas a jugar podré llegar a ser como él?

—Claro, si te empeñas y vienes todas las noches.

—Ahora me enseñas, ¿ya?

—Mejor es que primero veas cómo juegan. Miremos al Choro Plantado. Manya, desde las siete está juega que juega, sin cansarse. No vayas a creer que es vicioso; él solo juega para liberarse.

—¿Liberarse de qué, ah?

—Es lo que hasta ahora no podemos comprender; pero así lo dice él. Luquea cómo arrocha a los sabidos. Míralo, a pesar de ser un poco gordo y casi teclo, cómo se desliza suavecito alrededor de la mesa. Y cómo pica a los sobrados. Él es bien derecho, juega sin trampas y castiga a los torcidos. Manya, manya, está solo. Ya no tiene rivales. Ahora viene lo bueno: juega por jugar, solicísimo. No sé de dónde saca magia y hechiza las bolas.

Solo una mesa iluminada. El Choro Plantado se exhibe como nunca. Los conocidos del barrio se aglomeran, silenciosos, en torno a la mesa. Hasta don Lucho, que es tan serio, ha dejado el mostrador para verlo. Alguien, tal vez el Rosquita, salió corriendo a la cantina y avisó a gritos que el Choro Plantado estaba inspirado. Pobre japonés, piensa don Lucho, se quedó sin clientes madrugadores; porque el Choro Plantado tiene para largo.

Los espectadores, perdidos en la oscuridad hueca del gran salón de billares, solo ven iluminados el rostro y las manos del Choro Plantado. Elegante y trágico, da vueltas buscando el ángulo preciso. Silencioso y calmo, echa tiza al taco. Transfigurado, taquea. Y las bolas avanzan, retroceden, se detienen y se encuentran en increíble carambola, como si estuvieran unidas por un hilo mágico, misterioso. Ebrio y, tal vez, un poco triste y, posiblemente, liberado, como dice él, respira y vuelve a taquear.

Las carambolas se suceden como cuentas de rosario. Las horas avanzan y, sorpresivamente, la madrugada entra en el billar con la negra que vende tamales calientitos. Es hora de retirarse, dice el amigo de Carambola. Carambola lo despide en la puerta, no puede acompañarlo. Esta noche tiene que hablar, de todas maneras, con el Choro Plantado de «un asunto de hombres, de vital importancia».

—Me buscabas, Carambola, ¿no es así? —preguntó el Choro Plantado, mientras guardaba su taco en una bolsa de nailon.

—Sí, don Mario. Este… yo quiero hablar con usted, pero no aquí. Este… ¿qué le parece si vamos al japonés?

—¿No es un poco tarde para ti? Aún eres mocoso y en tu casa te pueden sonar.

—Yo no soy mocoso y nadies me importa y… además, a nadies le importo en mi casa.

—Si es así, vamos.

Invierno húmedo y gris, hasta en la madrugada. La gente y los postes, con la neblina, se vuelven borrosos y distantes. La luz pálida transforma el asfalto en espejo negro, brillante. Y las calles son estrechos callejones interminables, desiertos. Cómo poder hablar sin miedo, de frente, con el corazón desnudo, sin avergonzarse.

Caminan en silencio. Carambola: tímido y con la ansiedad adolescente del joven que quiere ser hombre, urgentemente, y el Choro Plantado: ebrio, pero triste.

Parece que de propósito se detuviera la madrugada. Nadie juega cacho en la cantina: beben, hablan, escuchan radiola. Se toma cerveza y la espuma se bota al suelo cubierto de aserrín húmedo y sucio.

—Esta cantina parece el desaguadero de todas las fiestas —dice, por decir algo, el Choro Plantado.

—Es verdad, don Mario. Aquí todos la rematan— contesta por contestar Carambola. Luego permanecen en silencio hasta que el Choro Plantado habla.

—Tú me quieres decir algo, pero tienes miedo, ¿no es cierto? Bueno, creo que después de tomarte un pomo se te pasa el miedo. Salud. (Si parece que fuera ayer, y por lo menos, hace más de cinco años. Don Lucho lo tenía cogido por la oreja y estaba decidido a entregarlo al patuto. —No quiero que entres al billar. Este local no es para mocosos. Apenas llegas a la mesa y ya te mueres por el taco. Antes que me saquen multa por permitir menores, te mando preso—. Interviene y don lucho, por última vez, lo perdonó. Desde entonces fue mi sombra, mi rabera. Como un perrito gracioso a todas partes me seguía. Cuando entraba al billar se quedaba en la puerta, esperándome, y cuando salía me preguntaba: —¿Y cuántas carambolas hizo? —Sin darme cuenta comencé a llamarlo Carambola y se quedó con Carambola, hasta el día de hoy). Bueno, Carambola, ya que tú no quieres hablar, escúchame. No sé por qué esta noche tengo ganas de hablar, de sincerarme, contigo. Yo sé que tú quieres ser el trome del billar; pero, para eso, no basta saber manejar el taco. Hay que tener pasión por el juego. Por la vida, Carambola. Siempre he dicho: una mesa, con buenas bandas; un taco, de mi propiedad; tres bolas, sin quiñes; cebada y carretas me bastan para llegar hasta las últimas consecuencias de una vida intensa. Ahora, estoy casi borracho, sin haber tomado mucho: es el juego, Carambola. El juego me libera, Carambola.

—Don Mario, ¿no se enoja si le pregunto algo?

—No, pregunta no más.

—El juego, ¿de qué lo libera, don Mario?

—Eres chicoco, todavía, no comprendes. Cuando la vida te golpee, comprenderás que todos los hombres que vivimos «intensamente» guardamos un secreto. Puede ser una mujer o tal vez... No sé. Pero lo guardamos aquí, Carambola, en el corazón. Y hay días que el corazón pesa demasiado y parece que reventara y entonces hay que liberarse y se juega o se toma hasta quedar borrachos.

Tímido y asustado, con el vaso de cerveza en la mano, Carambola interrumpe.

—No diga eso, don Mario, me asusta. No se ponga triste; porque yo también me apeno. Si en algo puedo ayudarlo, páseme la voz.

—Gracias, Carambola. Es necesario que me conozcas, que sepas con quién estás hablando. No vaya a ser que te enteres por otro y me creas mentiroso. Yo estuve en la sombra, Carambola, pero no por ladrón, sino porque me desgracié. Lo más triste que le pude hacer pasar un hombre es que lo hagan cojudo. Por eso la maté, Carambola.

—Sí, don Mario, algo escuché de su desgracia. (¡Jesús, Dios mío! ¡Qué desgracia! ¡Un crimen! Y la vecina despertó a toda la quinta. Quise salir, pero mi mamá nos encerró. —No sirve que los chicos vean esas cosas—. Me caía de sueño y la sirena de la ambulancia resonaba desesperada en mi cuarto. Pero los ojos se me cerraban y mis hermanos empeñados en verlo todo por la ventana: ¡era una pesadilla! En la mañana desperté asustado y seguíamos encerrados. Ya en la tarde, mi hermana mayor nos leyó *Última Hora*. —Pobre don Mario, no tuvo suerte con su mujer —comentaba la vecina. —Pero no la debió matar —respondía mi mamá).

—Tú estarías de cinco años, más o menos. Cuando cumplí mi pena, nadies me dijo nada, al contrario, todos los de la quinta me invitaron. Y no me fui del barrio, porque aquí todos son buenos; me llaman choro; pero no criminal. Y ahí vamos, Carambola, jalando, tirando pa'delante, con negocios, ya tú sabes. Pero mejor hablemos de lo tuyo.

—Bueno, don Mario, este... yo sé que usted es bien leído y experimentado. Este... no sé cómo decirle...

—Habla no más, sin miedo, para eso somos hombres.

—Ya, don Mario, pero antes, salud. Este... estoy bien templado de una chelfa del barrio.

—Y qué pasa, ¿le has clavado un hijo?

—No, don Mario, todavía.

—Quién es, ¿la conozco?

—Sí, don Mario, pero mejor no le doy el nombre.

—Bueno, si lo quieres así, está bien.

—Usted que es corrido sabe que del plan de paleteo y chupete hay que pasar a otra cosa, uno no puede quedarse en el plan de cochineo. México no es lo mismo, allí, falta cariño, no sé... Pero para eso está la gila de uno. Y ya no me contengo, don Mario, y la chelfa está que quiere. Mañana domingo, o sea hoy, mis teclos se van a Chosica, no voy con ellos: les he dicho que tengo que estudiar para los exámenes. Voy a estar solo en mi hueco y he quedado con la gila para acostarnos en mi cama: vamos a estar solititísimos.

—Te felicito, Carambola. No hay que perder la ocasión.

—Pero tengo miedo, don Mario: la gila está cerradita.

—¿Y cómo lo sabes?

—Ella misma me lo ha dicho y además... (Había poquísima gente en la matiné. La gila casi estaba sentada en mis rodillas. —No, Carambola, aquí no. Tengo miedo—. La tuve que dejar, pero ya la había palpado bien). No puedo equivocarme, don Mario, yo sé por qué lo digo. Ella me quiere y no puede mentirme.

—Pero las mujeres son mentirosas y más cuando se trata de amor.

—Pero mi gila, no. Don Mario, ¿es cierto que cuando están cerraditas se desangran? Tengo miedo de que me pase algo. ¿Qué me aconseja, don Mario?

—Lo tienes que hacer con cuidado. Por si las moscas, compra en la botica algodón, gasa, alcohol. Viéndolo bien, ya no eres tan chicoco que digamos y tienes que ser sabido: a tu edad no sirve amarrarse con hijo. Mejor compra en La Colmena, lo que tú ya sabes.

—¿Pero es cierto que se desangran y pueden quedarse muertas?

—No siempre, pero se han visto casos. A un párcero mío le pasó algo muy grave. Llevó a su gila a un hotel. La feligresa era virgen y comenzó a sangrar. Asustado, cogió la sábana y trató de contener la hemorragia; pero nada. La sangre salía, salía, salía. Había que verlo cuando en plan de compadre contaba el incidente. Decía, moviendo las manos y con tamaños ojos: todo era rojo, rojo, rojo, rojo. Tuvo que llamar matasano. El matasano pidió una ambulancia y se la llevaron a Grau, a la asistencia. Cuando el teclo de la gila se enteró, casi me lo despacha al otro mundo. Claro, que como dicen los médicos y las revistas de sexología, no todas las mujeres son delicadas. Como en el juego, Carambola, todo es cuestión de suerte.

—Me está metiendo miedo, don Mario.

—No te asustes, si te cuento casos, es para que estés prevenido. No te olvides de comprar lo que te he dicho en la botica. Tienes que hacerlo despacito, con muchísimo cuidadito, con delicadeza.

—Gracias, don Mario, por sus consejos.

—¿Puedes darme el nombre de la fulana esa? Es pura curiosidad, nada más. Te guardo el secreto. Ahora, si no quieres…

—Este… es Alicia, la hija de la señora Jesús.

El Choro Plantado, silencioso y triste, pagó la cuenta. En la radiola terminó un vals y los clientes se retiraban borrachos.

—Ahí nos vemos Carambola.

—Hasta mañana, don Mario.

El Choro Plantado, con las manos en los bolsillos y las solapas del saco levantadas, solo, parado en la puerta de la cantina, vio la casaca roja de Carambola perderse en la neblina. Y mientras caminaba dijo, despacio, hablando consigo mismo: «Casi todas las chelfas son iguales. ¡Pobre Carambola! Si supiera que su tal Alicia es más puta que una gallina. Todas las gilas son igualitas. ¡Pobre Carambola!».

# Colorete

9 de la noche. Cantina del japonés. En la radiola la guaracha *Marina.*

*(Estoy enamorado de Marina*
*una muchacha bella alabastrina*
*como ella no hace caso de mis cuitas*
*y yo me vuelvo loco por su amor)*

Humo. Luz naranja y guaracha. Cubiletes y cebada para todos. ¡Ay Juanita, Juanita, Juanita! Estoy enamorado de Juanita. Una muchacha bella alabastrina. ¿Qué será alabastrina?

*(El día que la encuentre sola, sola*
*entonces le diré que la quiero)*

Es su fiesta. Su cumpleaños. Y esta noche sin falta le caigo. De todas maneras. Sin pierde. Es su fiesta.

*(y por un beso que pondré en su boca*
*sabrá que yo la quiero de verdad)*

Bailaré con ella. Solo. Solo. Y no podrá decir que no. ¿Quieres ser mi gila? Bueno. Beso. Sí. Su guaracha preferida. Carambola lo contó. En ropa de baño guarachaba en Agua Dulce. «Carambola, si supieras lo de recuerdos que me trae esa guaracha». Pero a mí, la guaracha me pone triste. Pero triste de triste. Triste de no sé qué. Parece que las maracas revolvieran en el fondo de mi pecho una culebra ardiente. Y luego una como espada de fuego se me clavara en la garganta. Y apenas si puedo decir tu nombre. Juanita. Juanita. Juanita. Y lo digo como si tomara un poco de miel quemante. Juanita. Juanita. Pero la guaracha me pone triste. Sufrido.

(—¿Qué pasa, Colorete, te has comido la singüeso?
—Déjalo, que está templado.
—Ves lo que te pasa por cirio.
—Colorete, chupa y di que es menta.)

Juanita. Juanita. Cuando te veo, sufro. Cuando no, también. No sé qué hacer. Esta noche te saco a bailar. Guaracha, no. Bolero. Bolero. Me apretaré a tu cuerpo. Te oleré de cerca. Y si puedo, te beso. Palabra.

*(Marina, Marina, tu boca yo quiero besar)*

Quiero ser como Carambola. O como Natkinkón. Ellos ríen y se alegran con guarachas. En los tonos son de triana. En cambio yo me pongo corto. Tímido. Y me la paso chupando. Las muchachas arregladas y bonitas que van a los tonos me dan miedo. Meten miedo. Imposible hablarles: tembladera y tartamudeo. Y si miran como diciéndome: ¿Por qué no me sacas a bailar? Tiemblo y me escondo. Mi campo es la calle. La collera... Ahí soy atrevido. En la calle soy el capazote Colorete. Pero en los tonos me achico. Soy un cobarde.

*(Marina, Marina, Marina, contigo me quiero casar)*

(—Pucha, si estás en la luna.
—¿Qué te pasa, Colorete?
—No le hagan caso. Antes de los tonos siempre se pone así.)

Esta noche no podrá decir que no. Estará alegre. Es su cumpleaños. Y estoy bien firme. Mi peluca está recortada. No hay caso, Manos Voladoras: un artista. Mis zapatos, de gamuza. Estreno pilcha azul y corbata de seda italiana bien bacán. La cara está que arde. Claro, si no había nada que afeitar. Pero este señor tuvo que afeitarse para estar presentado. Le llevo un regalo. Un prendedor de plata. Caro. Caro. El doctor ese es buena gente. Me dio mosca. Le dije: Para mañana necesito azules. No es para mí, aclaré: es cumpleaños de mi gila. La próxima semana tendré que ir a su casa. ¡Qué se le va a hacer!

*(Mira cómo sufro tú debes amarme*
*no debes martirizarme*
*que esto lo castiga Dios)*

Juanita, Juanita, por qué me desprecias. No me hagas sufrir, que Dios lo castiga. No soy feo, que digamos. Al contrario. Quién no quisiera tener mi pinta. Las gilas se me echan. Si vieras los ojos que ponen cuando me miran de frente. Pero yo me burlo de ellas. Mirándolas, me muerdo los labios. Cierro los puños. Suspiro.

*(Mira cómo sufro tú debes amarme*
*no debes martirizarme.*
*No, no, no...)*

No. No podré olvidar el día que por primera vez te vi. Tú eras nuevita en el barrio. Reciencito te habías cambiado a la quinta. De arriba abajo y de abajo arriba te la pasabas la tarde. Quince años tenías. Un día alguien me trajo un recado. Un paquete pequeño. Al abrirlo encontré un colorete y un papel escrito: «Te amo.

J.»

Pucha, si casi me muero de alegría. Pero como siempre tuve miedo. Tan solo te miraba de lejos. Cómo no me declaré. Ya hubieras sido mi gila. Soy un cobarde. Cuando llegó el verano, con Juanita, con sus amigas y con la collera me fui a Agua Dulce. Juanita, risueña y escandalosa, cantaba en el tranvía. Triste y callado, sufría de tan solo mirarla. En la playa, no sé por qué, quise verla desnuda. Cuando entró a su carpa, me eché en la arena y, despacito, levanté la lona. ¡Para todo tengo mala suerte! Se había venido con la ropa de baño puesta debajo del vestido.

En la playa, Juanita —dorada, color canela—, corrió y saltó sobre la espuma. Al fondo, el mar verde. Y, aquí, sobre la arena caliente, sufría. Recuerdo que luego me puse de pie y entré a su carpa. Cogí su ropa. Tenía un olor suave, húmedo. No sé qué recuerdo de infancia me tomó por entero. Cerré los ojos y como un licor caliente sentí en mi cuerpo. Salí a la carrera, me metí en el mar. Al regresar, ya por la tarde, al barrio, no podía resistir sus ojos negros, negros, negros.

(—¿Jugamos la cebada?
—¿Juegas, Colorete?
—No, yo pago todo. Tengo plata.)

Juanita, ahora, estás muy cambiada. Pero yo sé que solo es cáscara. Estoy seguro de que basta una palabra mía para que seas la chicoquita de quince años. Ahora, siempre me arrochas. Los muchachos dicen que te has vuelto planera. Pero planera con otros. Con los que no son del barrio. Esta noche te abrazo. Te regalo el prendedor. Y te digo despacito: ¿Quieres ser mi gila?

(—¿Nos vamos?
—A lo mejor ya no alcanzamos pato.)

Baile. Baile. Baile. Vestidos de colores. Sudor y música. La habitación demasiado estrecha para tanta gente. Los viejos están chupa que chupa. La cocina se llena de comadres acomedidas, de vecinas intrusas, de gallinas en escabeche y de caldo de pollo. Humo de cigarro fino y brillantina. Perfume picante de axilas femeninas. Se baila alegre la guaracha. Triste, el bolero. Carambola está pegado a la mano de Alicia. El Príncipe los mira de reojo y se va a la cantina. El Rosquita, gracioso, como siempre, baila solo. Y Natkinkón dirige la orquesta del disco. Cara de Ángel busca a Gilda. No pudo venir, está un poco indispuesta, le dicen, y queda triste. Colorete espera a Juanita. Juanita sale del dormitorio del brazo de su tío.

*Japiverdituyú…*

Colorete se esconde. Terminan los aplausos y las vivas a la dueña del santo. Luego, solos, Juanita y su tío bailan un vals de Strauss. Colorete, sufre. Termina el vals y Colorete busca a Juanita.

—Feliz cumpleaños, Juanita.

—Gracias, Colorete.

—Te regalo.

—Gracias, después lo veré. Guárdamelo, ¿ya?

—¿Bai… bailammos?

—Disculpa, pero estoy cansada.

—Pero si recién, es que yo, yo…

—Luego nos vemos, Colorete. Que te diviertas.

Juanita, sobre un taco, dio una vuelta en redondo y coqueta y ágil se dirigió a Javier Montero, estudiante de Derecho.

—Javier, ¿me enseñas ese nuevo paso de tuiss?

# El Rosquita

Gorrito encarnado. Cabello negro alborotado en la frente. Ojos niños y tristes. Cigarrillo que se cae, que se cae de la boca. Casaca roja y pantalón negro: el Rosquita. Y el Rosquita es todo un muchacho. Y no es porque yo lo diga. Pero, de verdad, no se puede disimular su edad: dieciséis años, pese a que él sueña con ser adulto, ahorita mismo. Urgentemente.

Sabe que los adultos, los hombres hechos y derechos, pueden trajinar, sin miedo, por lugares prohibidos; sabe que los adultos pueden entrar a una cantina y pedir un trago; sabe que los adultos pueden entrar al cine a ver películas escabrosas e impropias para señoritas y menores; sabe que un adulto puede llevar a su enamorada al Parque de la Reserva; en fin, sabe que un adulto es un ser enteramente libre. En cambio, sabe también, que un muchacho... mejor no tocar el asunto, porque es como para morirse de la cólera. Por eso, tal vez, pensó en falsificar no solo la letra sino también la firma de su madre para hacerse un certificado que dijera: «La que suscrive por la precente justifica que su hijo Romulo Campos tiene veinte años, por lo que está permitido de hacer cosas de hombres; Se ruega a los señores policías no molestarlo sufre del hígado. Atentamente Gosefina Martines de Campos, su mamá».

Por desgracia, la policía no hace caso a esta clase de documentos.

El Rosquita es cliente empedernido de billares, de cantinas, de lugares prohibidos, etc., etc. Pero también es cliente empedernido de comisarías. Por eso, para que el patrullero no se lo cargue, tiene que poner cara de «maldito», de hombre «corrido», torcer los ojos, fumar como vicioso, hablar groserías, fuerte, para que lo escuchen, caminar a lo James Dean, es decir como cansado de todo, y con las manos en los bolsillos y, de vez en cuando, toser ronco, profundo. Pero todo para nada. Hay algo que lo denuncia como menor de edad. Tal vez sea su presencia o su manera de comportarse que es imposible disimular.

Un amigo de Rosquita, mejor diré, un párcero del Rosquita, para emplear una palabra de su uso, me contó el otro día que el Rosquita es bien niño. Así, cuando se trompea y le pegan no puede contener el llanto. Entonces, entre lágrimas, explica: «Lloro no porque me duele. Lloro de cólera: soy enfermo del hígado».

Cuando enamora es palomilla y atrevido. Comprende que un adulto debe enamorar a viejas; pero, a él, le gustan las chiquitas. Y esto no se puede remediar. Una tarde se encontró con Margarita —trenzas, faldita de colores, catorce años— le dijo: «¡Ay corazón de pepipalta!». Margarita lo mandó, con una palabra deshonesta, a pasear. El Rosquita enfurecido, con bilis, contestó: «Tu boca es parecida a la de esas». Y Margarita con aires de mujer perdida le gritó: «Calla, calla, angelito». «Fíjate», dijo el Rosquita, «para mí ya no eres mujer. Eres como un hombre y ahora te pego». Durante una semana sus amigos le gritaban: «Hasta Margarita te hace llorar». «Acaso, acaso», contestaba, tapándose los ojos con la punta de los dedos, «mentira, mentira de mentira». Estos incidentes le amargan la vida.

Rosquita, aunque no lo creas, te conozco demasiado. En la galería del cine de tu barrio eres el más ocurrente. Desde la triste soledad de la platea te he escuchado. Y un día de verano te he visto gorreando en el estribo de un tranvía de Chorrillos. Ibas con todo el cuerpo al aire y tus cabellos en tremolina al viento cubrían tus ojos.

Y cada vez que venía el cobrador lo saludabas, palomilla: «Presente, mi general». Cada cuadra un chiste y un repertorio inacabable de piropos. Recuerdo que un cura gordo y serio se comía la risa, hipócrita. Te he visto también jugar fútbol en la calle de tu quinta. Y te he visto también llorar después de la pelea con algún «torcido», como los llamas tú. Te he visto también en el billar «La Estrella», escondiéndote de don Lucho. Y te he visto también cantar y bailar en la cantina del japonés. Te he visto también, tímido y oculto, deslizarte por lugares prohibidos. Y te he visto también pasear con tu muchacha, con tu gila, Rosquita.

Pero también sé que, a pesar de tus gracias, de tu risa y palomillada eres triste. Eres triste porque comprendes que un muchacho como tú puede perderse. Ahí no está el Príncipe de ladrón; Colorete, de «maldito» y casi, casi perdido; Cara de Ángel, de jugador capaz de empeñar su camiseta e irse desnudo, de noche, a su casa, por una mesa de billar; Carambola, que está llevando mala vida con una mujer mayor que él; Natkinkón, bohemio y jaranero, y del Chino y del Corsario, mejor no hablar de ellos. Pero tú quieres ser bueno: lo sé. Si en algo has fallado ha sido por tu familia, pobre y destruida; por tu quinta, bulliciosa y perdida; por tu barrio, que es todo un infierno, y por tu Lima. Porque en todo Lima está la tentación que te devora: billares, cine, carreras, cantinas. Y el dinero. Sobre todo el dinero, que hay que conseguirlo como sea. Pero sé que eres bueno y que algún día encontrarás un corazón a la altura de tu inocencia.

**Oswaldo Reynoso**
**Chosica, junio-octubre 1960**

# Sobre *Los inocentes*

# José María Arguedas
## **Un narrador para un mundo nuevo**

El Perú desarrolla ahora sus fuerzas profundas con un poder y dinamismo que ningún atajo podrá detener. El Dr. Jorge C. Muelle, cuya hondura de pensamiento está iluminada tanto por su erudición como por su sensibilidad y su excepcional serenidad, afirmó en un breve discurso de epílogo a una reunión de arqueólogos que los descubrimientos revelados en esa reunión extendían tanto en el tiempo las raíces de nuestra tradición que el Perú como pueblo singular sería aún más indestructible. Y comparó el caso con el pueblo de Israel.

La tradición es conservadora, pero cuando fuerzas artificialmente contenidas no la han permitido desarrollarse se puede convertir de conservadora en revolucionaria, sin perder nunca su contenido regulador, determinante de la personalidad.

Sentíamos angustia ante la demora de la aparición de un hombre que interpretara en las artes este momento de transformación, de ebullición que es el Perú. Quienes tuvimos la oportunidad de describir el Perú seccionado de hace 25 años, el Perú que despertaba al mundo moderno, comprendíamos que nuestra obra iba convirtiéndose en algo histórico. La pintura y la poesía emplean fundamentalmente el símbolo; era la narrativa la que podía describir y transmitir vastamente lo que hay de nuevo, lo que hay de revolucionario en el Perú de nuestros días. Quisiera atreverme a afirmar que, además, la pintura y la poesía están algo encadenadas en nuestro país. La narrativa lo estaba hasta la aparición de *Los inocentes*, de Oswaldo Reynoso. Me refiero al encadenamiento a los estilos, formas y temas precedentes. Este encadenamiento nos parece especialmente notorio en la pintura, que se liberó del indigenismo a cambio de una vuelta hacia los modos rígidamente europeos, excepto el caso de Szyszlo, en quien es posible encontrar un esfuerzo todavía circunscripto a lo formal, porque acaso sus medios humanos no le permiten aún llegar más allá de esta frontera.

Un mundo nuevo requiere de un estilo nuevo. La búsqueda de un estilo nuevo se presenta como un problema del que depende casi ineludiblemente la revelación del mundo nuevo que se ha descubierto en uno mismo, en los demás. De ahí que existe una diferencia clamorosa, que salta ante los ojos cuando alguien crea un estilo o simplemente lo copia o lo repite.

Mientras leía los originales de los cuentos de Oswaldo Reynoso, creí comprender, con júbilo sin límites, que esta Lima en que se encuentran, se mezclan, luchan y fermentan todas las fuerzas de la tradición y de las indetenibles fuerzas que impulsan la marcha del Perú actual, había encontrado a uno de sus intérpretes.

Porque la lucha por detener el ascenso del Perú ha lanzado a la capital a hombres de todas las regiones que nuestras inmensas montañas habían mantenido aislados y fermentando lentamente sus propias energías endógenas. Por otra parte, a la misma capital se volcaban, desde fuera, las igualmente indetenibles fuerzas que impulsan la transformación del mundo, y sus gerentes trataban y tratan de modelar la estructura social como mejor conviene a la expansión de sus productos. De este modo, Lima, como capital muy representativa, ahora, del Perú, es un gigante que crece zarandeado, martirizado, casi ciego, pero cuya fuerza, como la de toda criatura en desarrollo, resulta indomeñable.

¿Dónde estaba el artista que describiera este espectáculo humano cuya grandeza nos conmueve, nos enardece e impacienta? *No una sino muchas muertes*, de

Congrains, nos había hecho creer que estaba ya a punto de advenir.

Quisiéramos afirmar que con *Los inocentes*, de Oswaldo Reynoso, se inicia el hallazgo de las formas de revelarlo. Reynoso ha creado un estilo nuevo: la jerga popular y la alta poesía reforzándose, iluminándose. Nos recuerda un poco a Rulfo, en esto.

Pero Reynoso no ha penetrado aún a lo más profundo. Ha descrito la nata, y solo de un sector, lo que en quechua llamaríamos el pogoso: esa espuma que flota sobre las corrientes o las aguas en reposo, y por las cuales puede hacerse un diagnóstico aproximado de la naturaleza de las aguas. Reynoso no debiera volver a Venezuela. Está joven. Debería sumergirse en nuestras barriadas, aprender el quechua. Él no procede, aparentemente, de las clases bajas. Debe seguir una trayectoria inversa a quienes habiéndose formado entre las clases bajas se han intelectualizado y adelgazado en el trato con los círculos selectos. Acaso pueda constituir esta una trayectoria más fecunda. Todo es posible cuando se cuenta con el vigor y la plasticidad de la juventud.

Esperamos que no se trate de un brote fugaz. El escritor tiene en el Perú, generalmente, un porvenir muy duro, pero, por lo mismo, este porvenir cautiva. El reposo está hecho para los rentistas. Oswaldo Reynoso es un fruto legítimo de la recientemente desintegrada Escuela Normal Superior de «La Cantuta». Escribió sus relatos poco después del martirologio de la Escuela. Creemos que con *Los inocentes* empieza un ciclo de una obra que puede llegar a ser tan importante para la literatura como para el estudio de los problemas sociales de la capital.

Suplemento dominical
de *El Comercio* del 1-10-1961

## Enrique Planas
### **Otras cosas sí cambian**

Poco antes de que el semáforo fuera un caramelo de menta, Oswaldo Reynoso subió al bus que me llevaba a la universidad. Eso fue hace diez años. Algunas cosas no cambian en diez años: el vehículo sigue hoy escupiendo el mismo gas venenoso en la misma esquina de Barranco y Oswaldo Reynoso mantiene esa melena blanca, que un monaguillo literario veía como la resplandeciente aureola propia de un santo de las letras. Otras cosas sí cambian. No he vuelto a pisar mi universidad y hoy, cada encuentro con él está sellado con un abrazo. Pero hace una década, al coincidir en el bus, acercarme, estrecharle la mano, decirle que era devoto lector de *Los inocentes* y que tenía escrita una novela que me encantaría darle a leer fue un logro personal que alcancé solo después de romper mi permanente timidez.

No me siento para nada original por ello. Creo que ese es el camino de gran parte de los escritores jóvenes: encontrarlo, darle la mano y, aprovechando un descuido, robarle su tiempo. Puedo dar fe de que no hay en esta ciudad otro escritor que merezca ser considerado un docente. Ya no están los tiempos como para perder las horas escuchando a jóvenes entusiastas, visitar colegios, tener paciencia para tolerar los egos de todo escritor inédito, que asegura que su libro partirá en un antes y un después nuestra tradición literaria. En mi caso, luego de que aceptó leerme y poco después llamó a casa para invitarme a conversar, mi ego fue desinflado por un solo dardo. «Tienes una excelente novela pésimamente escrita», me dijo al instalarnos en su mesa entre un té Jazmín y una cerveza Cristal. Fue entonces que me propuso pelear contra las palabras, enfrentarme a ellas una a una, línea a línea. Hacía la tarea en casa y volvía luego a corregir el capítulo siguiente bajo su mirada. Su pequeña casa en Jesús María era una especie de escuelita. El ambiente evocaba su larga temporada en China, producía un cierto estado anímico, de paz, de tranquilidad, de precario orden. Espacio de tertulia, de trabajo y, para él, de habitación. Mesa cubierta de mantel floreado, biombo oriental que separa las letras de la cama, estanterías sobre el escritorio, botellas que brillan como esculturas de cristal. A Oswaldo le gustan las cosas austeras, pero delicadas. No influye a los otros con lecturas rectoras. No hace con otros lo que hizo Arguedas con él, recomendarle que olvidara a Cara de Ángel, a Colorete, a la collera del barrio, y mirara hacia los Andes. Él te dirá que te observes honestamente y vomites lo que guardas dentro. Eso sí, previa compra de un diccionario de sinónimos y antónimos para evitar repetir la misma palabra cinco veces en un solo párrafo. «Una novela pésimamente escrita», repito mentalmente mientras corrijo esta historia. Por cierto, el proceso de aprendizaje con Oswaldo tiene que iniciarse temprano, de la misma forma que entra bisoño el estudiante de violín al conservatorio de música. Oswaldo solo ofrece atención gratuita si eres joven y mantienes la pureza. Solo si eres inocente.

## Sergio Galarza
### **Hasta las últimas consecuencias**

«Hasta las últimas consecuencias de una vida intensa», así reza el mantra que el Choro Plantado inscribió y sigue inscribiendo en la memoria de los lectores de Reynoso y sus inocentes. La frase sirve como una declaración de principios del propio autor, si se revisa su biografía, transparente y coherente a lo largo de las tantas entrevistas que han permitido conocer sus orígenes, el nombre de su guerra y las batallas que ha librado con la estrategia de las palabras. Reynoso irrumpió en los sesenta con un grito de denuncia que conmovió por la crudeza y la poesía que respiraban aquellas escenas de una adolescencia sometida por la violencia del machismo y siempre incomprendida en sus deseos de crecer bajo sus propias leyes. Los inocentes es el descenso obligado al infierno de los anhelos pisoteados. De la mano de sus personajes, el lector ingresa a un cuarto de espejos, donde es imposible no reconocer la miseria propia en esos rostros llenos de arrebato. Cada relato es un himno rock. Los colores afloran en medio de esa ciudad gris llamada Lima. Y Reynoso no para de denunciar las injusticias del universo adulto.

Quizás en todo lo dicho radique la vigencia de este libro que marcó el debut narrativo de un escritor consagrado a sus ideales. En *Los inocentes* hay una apuesta ética y estética que supera la moda. Se trata de un libro que hasta el día de hoy sigue abriendo nuevos caminos para jóvenes escritores. Porque, pese a quien le pese, todos cargarán de por vida con un inocente en el pasado.

Agradezco que un día, siendo aún un escolar de primaria, un desconocido me anunciara que la vida, por intensa, hay que vivirla hasta las últimas consecuencias. Es el mantra de Reynoso. Lectores: cúmplanlo.

Este libro se terminó
de imprimir en
Hospitalet de Llobregat
(Barcelona), en el mes
de enero de 2019